TOMÁS ANTÔNIO GONZAGA

COLEÇÃO NOSSOS CLÁSSICOS

Publicados sob a coordenação de

Pedro Lyra
Professor de Teoria Literária da UFRJ

VOLUME 114

LIVRARIA AGIR EDITORA

Rua Bráulio Gomes, 125 (ao lado da Bib. Mun.) — Telefone: 259-4470 — Caixa Postal 6040, São Paulo, SP, CEP 01051

Rua México, 98-B — Telefone: 240-1978
Caixa Postal 3291, Rio de Janeiro, RJ, CEP 20001

Rua Espírito Santo, 845, Loja 16 — Telefone: 222-3038
Caixa Postal 733, Belo Horizonte, MG, CEP 30000

Atendemos pelo Serviço de Reembolso Postal

Tomás Antônio Gonzaga

por LÚCIA HELENA

1985

LIVRARIA AGIR EDITORA

CIP-Brasil. Catalogação-na-fonte
Sindicato Nacional dos Editores de Livros, RJ.

G651t Gonzaga, Tomás Antônio, 1744-1810.
Tomás Antônio Gonzaga / [organizado por] Lúcia Helena. — Rio de Janeiro: Agir, 1985.
(Nossos clássicos; v. 114)

Bibliografia
ISBN 85-220-0124-3

1. Gonzaga, Tomás Antônio, 1744-1810 2. Poesia brasileira I. Helena, Lúcia II. Título III. Série

CDD - 869.91
928.699
CDU - 869.0(81)-1
84-0947 92 Gonzaga, T.

Dados biográficos

1744 11 de agosto: Nasce Tomás Antônio Gonzaga, no Porto, Portugal, filho do magistrado carioca João Bernardo Gonzaga e da portuense Tomásia Isabel Clarque.

1745 Morte da mãe, aos 37 anos, antes que o menino completasse um ano.

1752 Transferido para o Recife, como Ouvidor-Geral, o pai de Tomás muda-se para o Brasil e envia-o para Salvador, onde estudará no Colégio da Companhia de Jesus.

1761 Tomás retorna a Portugal.

1762 Matricula-se na Universidade de Coimbra.

1768 Forma-se em Direito, em Coimbra. Escreve o *Tratado de Direito Natural*, texto acadêmico de conclusão de curso, dedicado ao Marquês de Pombal.

1779 Nomeado Juiz de Fora, em Beja. Nada se sabe de sua vida no local.

1782 Retorna ao Brasil, como Ouvidor da Comarca de Vila Rica, em Minas Gerais. Conhece Maria Dorotéia Joaquina de Seixas, jovem de 17 anos, celebrada em suas liras sob o pseudônimo de Marília.

1783-4 Provável produção da primeira parte das *Liras*.

1784 Começo do litígio entre Tomás Antônio Gonzaga e Luís da Cunha Meneses, Governador de Vila

Rica, acusado pelo magistrado em queixa enviada à Rainha de Portugal, em 8 de abril.

1785 Tomás Antônio Gonzaga é acusado por Cunha Meneses de praticar extorsões à Real Fazenda.

1786 Gonzaga é nomeado Desembargador da Relação, na Bahia. Contudo, permanece em Vila Rica.

1787 Começam a circular em Vila Rica as *Cartas Chilenas*, poemas satíricos anônimos em que um certo Critilo escreve a Doroteu, criticando os desmandos e a má administração do Governador Fanfarrão Minésio, do Chile. Após o estudo de Rodrigues Lapa, de caráter filológico e histórico, atesta-se a autoria de Gonzaga.

1788 Chega a Vila Rica o novo Governador, Visconde de Barbacena, empossado a 11 de julho.

1789 Preso, a 21 de maio, por ordem do Visconde de Barbacena, sob suspeita de envolvimento na Inconfidência Mineira. Remetido ao Rio de Janeiro, é aprisionado na fortaleza da Ilha das Cobras, onde supõe-se teria continuado a escrever suas liras.

1792 Condenado a dez anos de degredo em Moçambique, lá reconstrói sua vida e fica até a morte. Surge a primeira edição da Parte I das *Liras*, pela Tipografia Nunesiana, de Lisboa.

1793 Casa-se com Juliana de Sousa Mascarenhas, herdeira de grande fortuna obtida com o tráfico negreiro. Do casamento nasce Ana Mascarenhas Gonzaga.

1799 Publica-se a primeira edição da Parte II e a 2.ª edição da Parte I das *Liras,* também pela Nunesiana.

1806 Nomeado procurador da Coroa e Fazenda de Moçambique.

1809 Promovido a Juiz da Alfândega.

1810 Morte do poeta. Sai neste mesmo ano edição apócrifa de uma suposta Parte III das *Liras.*

1811 Edita-se, pela Tipografia Lacerdina, a Parte I (37 liras) e a Parte II (38 liras) de suas *Liras.*

1812 Surge a 1.ª edição considerada autêntica da Parte III das *Liras,* formada de composições avulsas (8 liras, 16 sonetos e 2 odes) pela Impressão Régia, Lisboa.

Situação histórica

Tendo vivido de 1744 a 1810, Tomás Antônio Gonzaga participou de um século de conflitos e ambigüidades. Ele mesmo as viveu, com sua formação intelectual feita na Bahia e em Coimbra, respirando na Universidade portuguesa um clima de conservadorismo, comparado ao de Londres e Paris, e participando, no Brasil, de uma luta revolucionária, a Inconfidência Mineira de 1789.

Em sua obra pode-se sentir o espírito de oscilações que regeu o século XVIII, tecido na contradição entre o indivíduo e o Estado, o absolutismo e as aspirações igualitárias, o racionalismo científico e o irracionalismo pré-romântico. Este foi o século de duas grandes revoluções: uma delas, de caráter tecnológico, científico e industrial, emergiu na Inglaterra; a outra, de cunho político e ideológico, eclodiu na França, embora ambas tenham desencadeado o surgimento de uma nova organização social burguesa de bases internacionais.

O pano de fundo destas duas revoluções — a industrial e a francesa — remonta a causas ligadas à estrutura econômica da sociedade da época, na qual se confrontavam os interesses de um regime fundado nos privilégios de grupos nobres e oligárquicos, o chamado *ancien régime*, oriundo do absolutismo, e os interesses de grupos vinculados a uma burguesia urbana.

Com uma prática política já parlamentar, a Inglaterra, desde o início do século, tinha obtido privilégios comerciais que favoreceram seus cofres e permitiram a retomada das transações feitas em papel-moeda, a exemplo do que ocorrera na Baixa Idade Média. Esta prática fortaleceu o sistema bancário e incentivou a indústria, pela técnica do crédito.

Da antiga atividade artesanal, em que o trabalhador acompanhava a produção desde a posse da matéria-prima até a venda do produto final, o novo sistema propicia uma outra divisão do trabalho: os comerciantes, ao se dedicarem à indústria, introduzem a produção em série, cujo modelo, segundo Adam Smith, seria a indústria da lã e de alfinetes.

Há um crescimento da indústria, auxiliada pelo avanço da tecnologia, e uma aceleração do progresso e da acumulação do capital. No setor têxtil constrói-se o primeiro tear inteiramente mecânico (Cartwright, 1784); na metalurgia resolve-se a escassez do carvão vegetal e aumenta-se a produção de ferro; na engenharia civil, constroem-se pontes, estradas, canais; pavimentam-se ruas, utilizam-se esgotos, água corrente; no campo da saúde, constroem-se hospitais e protege-se melhor a população das epidemias. Tudo isto converge para o fortalecimento de um mundo urbano mais desenvolvido e provoca uma alteração nas relações sociais e de produção.

No entanto, começa a surgir também uma ambigüidade, se observarmos a situação do operariado que serve aos interesses da burguesia incipiente: ele ganha pouco, não tem salubridade nem segurança nas fábricas, mas é o alicerce da fortuna dos grupos detentores do capital. Mesclando-se à euforia do progresso industrial e técnico-científico, este século faz-se palco de profundas contradições entre suas várias classes, pois chocam-se os interesses econômicos entre metrópoles e colônias, entre faixas da nobreza e da burguesia e, em alguns lugares, como na França, há dissensões profundas entre a nobreza e a monarquia.

Deste complexo e intrincado jogo de interesses vai surgir o surto independentista da colônia norte-americana que, a 4 de julho de 1776, proclama-se uma federação livre da tutela inglesa. Ideais liberalizadores são estimulados e fomenta-se um pensamento novo, marcado pelo ataque ao regime de privilégios da aristocracia e pela exortação da igualdade social e da necessidade de modificação do pacto autoritário do absolutismo.

Sob a influência desses ideais e das obras de Voltaire, Rousseau e de outros "iluministas", a França irá conhecer um momento revolucionário intenso, tanto nas idéias quanto na política. Em posição comercial e industrial inferior à Inglaterra, a monarquia francesa vivia dias de progressiva perda de espaço. Abalo que primeiro surgiu no interior da própria nobreza, descontente com os descalabros administrativos de Luís

XVI e foi-se, posteriormente, manifestar pela adesão de outras faixas da sociedade: a contestação ao regime se estende à burguesia e recebe o apoio dos camponeses, acarretando, em 1789, a queda do *ancien régime*.

O surto transformador também penetra as fronteiras lusas, embora de modo diverso do que ocorreu na França e na Inglaterra. A pequena estatura ibérica em face da Europa leva Portugal a considerar a questão sob os moldes do despotismo esclarecido, ou seja, uma forma de modernizar-se sem perder as completas rédeas de um poder estatal concentrador.

Sob a égide do pombalismo, política centralizadora exercida pelo Primeiro Ministro de D. José, Sebastião de Carvalho e Melo, Marquês de Pombal, há um surto de reformas internas e externas. Enviam-se estudiosos ao estrangeiro, criam-se novas indústrias e companhias de navegação que tornassem mais fácil o comércio com as colônias ultramarinas. Externamente, tenta-se um desenvolvimento mais integrado da colônia brasileira, pelo estímulo aos engenhos de açúcar em Pernambuco, pela expansão do crédito para estabelecimentos manufatureiros na Bahia, pela extração de ferro em São Paulo e, até, pela fundação de uma indústria de roupas, no Pará, destinada a suprir as tropas militares.

Contudo, no final da década de 80, as minas de ouro brasileiras começam a esgotar-se e o sistema luso se enfraquece. Ao lado disso, na década de 70 emergira no Brasil uma burguesia nacional cujos interesses se tornavam cada vez mais incompatíveis com os da coroa.

Na região das Minas Gerais esta burguesia vai reter o foco de dissensão. Minas não só era a área mais populosa, em 1776, da América portuguesa, detendo o correspondente a 20 por cento da população total, como também era a maior área de concentração demográfica do Brasil, além de apresentar um contingente majoritariamente urbano.

Esta população urbana era distribuída desigualmente, além de formada de estratos sociais muito diversificados, abrangendo desde negros escravos a contratadores, intelectuais, militares, comerciantes, representantes do clero e das oligarquias rurais. É neste núcleo que vai emergir uma elite letrada, pouco numerosa mas representativa, e em si mesma muito contraditória, pois formada pelo despotismo coimbrão e, simultaneamente, sofrendo a influência do impacto da nova ideologia liberal que advinha da Europa e da América do Norte.

Tais fatores e a decisão portuguesa de cobrar impostos excessivos (a "derrama") a uma comunidade já muito penalizada economicamente, promovem a preparação, em Vila Rica, de um levante, malogrado pela denúncia de Joaquim Silvério dos Reis: a Inconfidência Mineira.

Deste movimento participa Tomás Antônio Gonzaga, cuja atuação no evento está a merecer um estudo mais profundo. Qualquer que tenha sido seu objetivo e sua real implicação nestes acontecimentos, é certo que sua produção lírica deles recebe influxo até direto, como no caso das chamadas "liras da prisão", nas quais o poeta promove de modo bastante raro em textos do gênero a integração do lírico ao social.

Estudo crítico

É complexo o problema do estabelecimento do texto crítico das poesias de Tomás Antônio Gonzaga. Segundo especialistas no assunto, são confiáveis as primeiras edições de cada uma das três partes, publicadas, respectivamente, em 1792, 1799 e 1812, descartando-se a falsa parte III, de 1800. Há, no Brasil, duas edições que têm servido de suporte para os trabalhos acerca do poeta mineiro: a edição elaborada por Afonso Arinos de Melo Franco, que mantém a subdivisão em três partes, e a de Rodrigues Lapa, que a altera.

O filólogo português Manuel Rodrigues Lapa concebeu sua edição das poesias do árcade brasileiro a partir de um critério que denominou cronológico.[1] Sob

1. O texto a ser utilizado nesta antologia segue a edição crítica de Rodrigues Lapa, organizada para o INL, editada em 1957 e atualizada ortograficamente. Quanto ao critério cronológico, foi por nós abandonado, em prol de uma organização temática dos textos. A validade deste critério cronológico é questionada, por exemplo, por Wilson Martins (ver obra citada na bibliografia): "Mesmo um erudito austero como Rodrigues Lapa, que afirma e reafirma a superioridade de sua intransigência científica, reordenou, para a edição crítica (*sic*) de 1942, a disposição dos poemas, de forma a servir-lhe os propósitos de

este enfoque, as liras, odes e sonetos foram reordenados e numerados, em relação às edições anteriores, havendo discrepância, se compararmos à sua a edição de Arinos — entre alguns textos que, em Arinos, pertencem à Parte III e, em Lapa, são tidos como composições preliminares à fase em que o tema básico de seus textos volta-se ao enamoramento dos pastores Marília e Dirceu.

O conjunto das poesias de Tomás Antônio Gonzaga não nos autoriza a dizer que sua obra começa apenas em Minas Gerais e que se tece, na totalidade, sob o signo de Marília. Nises, Altéias, Lidoras, Lauras e Ormias, outras tantas pastoras construídas a partir das convenções rococós e arcádicas, percorriam os textos do poeta, em homenagens semelhantes ao tom de muitas das peças líricas em que ele louva a pastora Marília.

Comparando-se a edição de Lapa e a de Arinos, podemos levantar algumas suposições. Ao depararmo-nos com os textos da chamada Parte III, freqüentemente encontramos liras e sonetos que se aproximam profundamente do procedimento temático e artesanal das liras da chamada Parte I, textos em que o poeta faz, basicamente, o retrato da amada e do lugar apra-

documentar a história amorosa de Gonzaga (...) Ora, nada sabemos quanto à "época" em que as poesias foram escritas; a divisão arbitrária em partes resultou naturalmente de exploração editorial, mas a arrumação "lógica" dos poemas não é menos arbitrária" (p. 551).

zível em que a conquista decorre, como se estas liras, nos quais o nome de Marília não aparece, fossem composições deixadas de lado pelo poeta para a primeira edição dos textos, ainda publicada quando vivia.

Um desses textos chama, sobremodo, atenção. É a lira "Eu não sou, minha Nise, pegureiro",[2] que tem numeração 11 na edição de Lapa, e consta como lira 5 da Parte III, na edição de Arinos. O texto nos remete, por sua estrutura, tema, repetições nítidas, a outras duas liras[3] do poeta: "Eu, Marília, não sou algum vaqueiro" (lira 53 em Lapa, e lira 1 da Parte I, em Arinos), e "Eu, Marília, não fui nenhum vaqueiro" (lira 77 em Lapa, e lira 15 da Parte II, em Arinos).

Tal procedimento indica uma forma de artesanato poético que se debruça sobre si mesmo, que reescreve, reaproveita, reelabora versões novas sobre antigas versões, e é comum em Gonzaga, e pode ter induzido Lapa a observar que o autor tivesse produzido uma obra "cronologizável", em virtude da ausência/presença do nome de Marília, da referência à liberdade/prisão, e dos tempos verbais usados nos primeiros versos de cada versão da citada lira. Lapa optou por tomar como texto de origem a lira sobre Nise, considerada por ele como anterior à fase de Marília, e como

2. Lira transcrita nesta edição, p. 134.

3. Também transcritas nesta edição, respectivamente, às p. 81 e 116.

última aquela em que o pastor lamenta-se de seu estado de prisioneiro.

Não tenho informações seguras — e creio não existirem — da datação das liras. Mas, se é arbitrário o critério cronológico, não há como não admitir a existência de uma polarização temática dos três textos: dois deles incluem-se no que poderíamos chamar "o ciclo de Marília", por tomar como núcleo o enamoramento do pastor por ela, enquanto o outro remete para uma das muitas pastoras incaracterísticas que o poeta louvou segundo a convenção da escola literária, a bela Nise, também presente na produção de Cláudio Manuel da Costa, em famoso soneto.[4]

4. Nise? Nise? onde estás? Aonde espera
Achar-te uma alma, que por ti suspira,
Se quanto a vista se dilata, e gira,
Tanto mais de encontrar-te desespera!

Ah se ao menos teu nome ouvir pudera
Entre esta aura suave, que respira!
Nise, cuido que diz; mas é mentira.
Nise, cuidei que ouvia; e tal não era.

Grutas, troncos, penhascos da espessura,
Se o meu bem, se a minha alma em vós se esconde,
Mostrai, mostrai-me a formosura.

Nem ao menos o eco me responde!
Ah como é certa a minha desventura!
Nise? Nise? onde estás? aonde? aonde?

Nas composições recolhidas na edição da Imprensa Régia (Lisboa, 1812), a chamada terceira parte autêntica, temos um Tomás Antônio Gonzaga virtuose do estilo afeito aos clichês clássico-pastoris, à mitologia, ao enaltecimento de figuras históricas e ao engrandecimento de uma certa concepção de heroísmo.[5] No entanto, nas liras das edições de 1792 e de 1799, esses "exercícios poéticos" são em muito excedidos por uma

In: RAMOS, Péricles Eugênio da Silva, Int., seleção e notas. *Poemas de Cláudio Manuel da Costa.* São Paulo, Cultrix, 1966, p. 45.

5. "Cada tipo de sociedade tem o seu herói a viver em intensidade e pureza os seus ideais, e por ele todos os comportamentos são medidos e convidados ao modelarem-se. (...) O humanismo renascentista empenhado como estava em ideais de mudança, acrescentou na formação do homem a tornar mais humano o culto das letras antigas, e substituiu progressivamente o critério da nobreza de sangue pelo critério da "nobreza de alma". (...) Ao ideal humanista viria a suceder, no século XVII, o que se convencionou chamar o do "honnête homme", que conciliava a sabedoria antiga com as virtudes do cristianismo, e pelo exercício da disciplina e da vontade enérgica fazia reinar a harmonia entre a alma e o corpo e evitava os excessos.

Este era o fundo ideológico dos ideais de Dirceu, ideais que muito prezavam a estabilidade e a medida." *In*: CRISTÓVÃO, Fernando. *Marília de Dirceu* de Tomás Antônio Gonzaga; ou a poesia como imitação e pintura. Lisboa, Imprensa Nacional, 1981, p. 84-6.

particular tonalidade estilística, quando se tecem sob a égide do "ciclo de Marília", e ultrapassam as limitações de estilo.

Antonio Cândido, em estudo agudo, coloca também a questão, afirmando que o poeta Gonzaga existe, na realidade, de 1782 a 1792, como se nele explodisse um poeta na eclosão da crise afetiva e política, o que o distinguiria de Cláudio, "cuja atividade parece um longo, consciencioso artesanato de escritor, no sentido estrito da palavra. O problema consiste em avaliar até que ponto a *Marília de Dirceu* é um poema de lirismo amoroso tecido à volta duma experiência concreta — a paixão, o noivado, a separação de Dirceu (Gonzaga) e Marília (Maria Dorotéia Joaquina de Seixas) — ou o roteiro de uma personalidade, que se analisa e expõe, a pretexto da referida experiência. É certo que os dois aspectos não se apartam, nem se apresentam como alternativas. Mas também é certo que o significado da obra de Gonzaga varia conforme aceitemos a predominância de um ou de outro."[6]

Wilson Martins também advertiu quanto ao problema, chamando a atenção para os riscos de uma interpretação unilateralmente biográfica, que tendesse a "colar" o poeta e o cidadão Gonzaga, buscando explicar um deles através do outro. Observa o crítico que há uma idealização em torno do poeta, o que

6. Cf. CÂNDIDO, Antônio. *Formação da literatura brasileira* (*vide* bibliografia neste volume), p. 114-5.

acaba por impor um sentido único à sua obra, atribuindo-lhe "uma unidade, um sentido e até um desenvolvimento orgânico que, com toda certeza, não teve na realidade".[7]

Estes dois depoimentos revelam-nos, todavia, que se pode vislumbrar, até, uma outra hipótese: a proposta de "mascaramento" entre a vida, a realidade, a convenção arcádica e a poesia já poderia estar prevista pelo próprio Autor, cujas primeira e segunda parte das liras foram publicadas em vida, embora não se tenha indício de nenhum depoimento do poeta sobre o assunto. Mas o trabalho de escavação de um texto em outro texto, demonstrado pelas três versões de uma mesma matriz lírica, como no caso já aqui mencionado, indica-nos um poeta que se caracteriza por ficcionalizar a realidade, de um lado, ao convocá-la para seu texto, mas, por outro lado, sob a face da metamorfose.

As liras do "ciclo de Marília" (e de Dirceu, certamente) enlaçam o leitor na magia de um possível romanceamento lírico-poético do famoso caso de amor do árcade Tomás. E o tema avulta, no conjunto da obra, como núcleo. Os dois aspectos mencionados por Antônio Cândido, como ele próprio adverte, não se dissociam e são ambos pertinentes ao sentido da obra. Nem a *Marília de Dirceu* é o romancear puro e simples, em versos claros, de uma realista e bucólica história

7. MARTINS, Wilson. *Vide* bibliografia, p. 551.

de amor, nem deixa de conter uma referência a esta, embora desrealizada, ficcionalizada pelo trabalho poético da literatura.

Seria atitude ingênua e empobrecedora confinar à mera autobiografia esta parte (sem dúvida a maior, quantitativa e qualitativamente) da obra de Tomás. Nela, realidade e imaginação se imbricam, num trabalho ficcional (entenda-se aqui a palavra não como sinônimo do ato de narrar, mas como a natureza de todas as construções literárias, independentes do gênero a que pertençam).

De certo, todo escritor, por mais escapista e fantasioso que nos pareça, escreve a partir de uma dimensão dita "real", colhida em sua própria experiência humana, ou frutificada na observação do mundo que o envolve. Mas se fosse apenas isto a obra literária, como distingui-la dos diários confessionais e dos depoimentos históricos e biográficos? E no entanto o fazemos. Temos uma espécie de consciência empírica da diferença entre esses textos, os literários e os outros, primordialmente histórico-biográficos. Onde reside a diferença, eis a difícil questão. A dimensão real, quando ficcionalizada literariamente — e a obra de Tomás Antônio Gonzaga não teria ultrapassado os tempos se não o tivesse realizado — passa a ter uma convivência estreita com uma outra instância, imaginária, que preside ao recorte que o escritor faz do mundo, consciente ou inconscientemente. A obra não é um mero depoimento, ou seja, Marília não é simples nem totalmente Maria

Dorotéia, nem Dirceu é Tomás, nem apenas um mero delírio. Nas poesias de Tomás há uma complexa tematização deste mundo contraditório, oscilante e globalizador em que todos transitamos e no qual se misturam o real e o imaginário. Tomás tematiza em seus textos esta zona limítrofe, esta espécie de limbo, reino de um paradoxo entre ser e não ser apenas uma coisa ou outra. Se a dimensão imaginária da obra for posta em escala reduzida, por uma crítica interessada em identificar, sem mais ressalvas, o autor ao *eu lírico* que fala no texto, o entendimento das poesias de Tomás resultará prejudicado; do mesmo modo, se a dimensão da realidade for demasiado esfumaçada, a crítica arrisca-se ao equívoco de desvincular a obra do contexto histórico-político de seu tempo e que nela se presentifica.

A *Marília de Dirceu* não é uma obra em que o *eu* que se dirige à pastora Marília, pintando-lhe a beleza, ou sonhando com seu amor, deva ser identificado simetricamente ao eu real e autobiográfico do namorado (Gonzaga) de Maria Dorotéia. Este *eu* recolhe, na sua singularidade, várias vozes (dentre elas a de um eu autobiográfico) que se desindividualizam, tornando-se um eu "plural", no qual se capta e expressa o microcosmo ficcional do mundo real e imaginário do escritor.

Há como que uma sedução em tomarmos como idênticas, também, a masmorra que aparece nos textos de lamento do pastor Dirceu, nas liras da chamada

Parte II, e a prisão na Ilha das Cobras, em que ficou retido o poeta. Creio que esta leitura biográfica corre o risco de realizar algo a que o próprio poeta talvez nos tenha pretendido induzir: agigantar, no texto poético, a dimensão real de uma vida.

Nesta edição, para o grande público, não cabe estender este questionamento, mas alertar que nossa opção por uma divisão temática binária: 1.º) "Ciclo de Marília", e 2.º) "Temas diversos", no qual recolhemos os encômios e sonetos a pastoras outras que não a musa principal, tem por finalidade facilitar a leitura do Poema maior da obra de Tomás, e não induzi-lo a uma interpretação exclusiva ou dominantemente biográfica do texto. Como poeta, Tomás Antônio Gonzaga elaborou suas poesias não como puro testemunho de uma história de amor pessoal, mas sendo, antes de tudo, "um fingidor".

No "Ciclo de Marília", composto de duas partes, de acordo com o enfoque maior dado pelo poeta à figura da amada — Marília de Dirceu, ou dado à figura do amado — Dirceu de Marília, adotamos uma divisão tripartite. Do ângulo da amada, temos: 1.º) *Retratos da amada,* nos quais Marília é pintada, dentro das convenções da época, em sua beleza e dotes morais, sem nenhuma análise psicológica mais profunda; 2.º) *Num sítio ameno,* onde se apresenta o cenário plácido, bucólico, no qual se desenrola a conquista; e 3.º) *Caminhos do amor,* liras que enfeixam a concepção de amor apresentada pelo pastor enamorado, bem como seus desejos em relação à amada. Do ângulo do amado, parte que intitulamos "Dirceu de Marília", temos: 1.º) *Retratos do amado*, nos quais o pastor é pintado muito mais psicológica do que fisicamente, o que conduz o poeta a ultrapassar as limitações das convenções retóricas do lirismo árcade-rococó; 2.º) *Numa triste masmorra*, cenário que se transmuda, no qual o ameno campo é substituído e se transforma numa dolorida avaliação da perda da liberdade; e 3.º) *Caminhos da liberdade*, liras em que o tema do amor, sua busca e anseio de realização se enlaçam ao tema da liberdade e do sentido da vida humana.

Todavia, como a lírica de Tomás não se esgota no ciclo dedicado a Marília, enfeixamos sob o título de "Temas diversos", poemas dedicados a outras pastoras (formulados quase que na totalidade dentro das convenções rígidas do estilo — a este conjunto de textos denominamos *Ormias, Lidoras, Nises* e *Altéias* e a ode que entitulamos *Em honra da Rainha*, na qual se apresenta ao leitor um longo poema encomiástico, pleno dos lugares comuns que, certamente, não teriam erguido Tomás à estatura que lhe reconhece, com justiça, a história literária do período colonial e mesmo hodierna.

Gonzaga pertence a um período artístico que, na vida cultural brasileira, teve grande importância: o movimento academicista, que reunia, em torno de agremiações, uma elite letrada interessada na discussão e produção da arte e da ciência. Num país colonial, dependente economicamente da metrópole lusitana e das modas culturais européias, recebíamos com atraso os ecos de propostas que surgiram em Roma, por volta do fim do século XVII, e que apenas chegaram ao Brasil em meados do XVIII.

Esta forma de organização intelectual em agremiações originou as Arcádias, que tiveram na Arcádia Romana, de 1690, o primeiro modelo internacional do gênero. Fundado em torno do patrocínio da ex-soberana da Suécia, Cristina, convertida ao Catolicismo, o grupo se organiza, reunindo eruditos, filósofos, pensadores livres, com programa definido e número fixo de membros, com o fito de ler, discutir e produzir trabalhos no âmbito da ciência e da literatura. Seus membros se autodenominavam "pastores" e adotavam nomes gregos e latinos, tendo por patrono, num gesto de sincretismo, o Menino Jesus.

O movimento procura libertar-se dos excessos do barroquismo, bem como redimensionar os valores clássicos das obras de arte. Daí que recupera Aristóteles, principalmente através da *Arte Poética* de Horácio, preconiza o caráter racional da arte e da cultura, preocupa-se em exaltar a finalidade moral da literatura, a concepção de que o poeta é um pintor de situações, não devendo estar sujeito à emocionalidade exacerbada. Buscam-se os motivos bucólicos, o clima ameno e campestre em tudo esmaecendo a grande revolução urbana que se realiza no contexto político-social circundante. Neste afã de classicização, o princípio poético-retórico de base é a imitação dos antigos tomados como exemplo.

O arcadismo penetra Portugal, onde se funda a Arcádia Lusitana, em 1756, e encontra em Correia Garção um defensor de seus princípios. São escritos no período diversos tratados portugueses de arte poética: a *Nova arte dos conceitos*, de Francisco Leitão Ferreira, de 1721, e a *Arte poética* de Francisco José Freire, de 1748, e a de Paiva e Melo, de 1765. Os tratados gregos, latinos, italianos e franceses também são lidos pelos portugueses, e não devem ter sido desconhecidos a Tomás Antônio Gonzaga.

Informa o crítico português Fernando Cristóvão que Tomás conheceria "não só as idéias e a própria obra de Garção, publicada já póstuma em 1778, que lhe poderia ter chegado às mãos ainda antes de, novel juiz de fora, ter tomado posse do cargo. E não simplesmente por via direta, também por interposição de seu amigo e conselheiro poético Cláudio Manuel da Costa, que em 1768 compunha uma "Saudação à Arcádia", instituição essa que Garção ajudou a fundar e onde exerceu importante magistério teórico."[8]

O acervo de procedimentos clássicos à disposição de Tomás foi por ele seguido e bem realizado. Algumas de suas diretrizes podem ser vistas numa famosa condensação de preceitos poéticos elaborada no século, a *Arte poética*, de Nicolas-Boileau Despréaux, de 1764.

8. CRISTÓVÃO, Fernando. *Vide* bibliografia, p. 20.

As idéias aí divulgadas em forma de poema didático-artístico resumem-se no enunciado de que *a obra literária é uma imitação da natureza, devendo por isso tomar a verdade como seu ideal e a razão como algo que não se pode dispensar.* No Canto I de seu texto, informa-nos Boileau:

> Qualquer que seja o assunto que tratemos, ou divertido ou sublime, que o bom senso concorde sempre com a rima: parece que ambos se odeiam inutilmente. (. . .) ame a razão: que todos os escritos procurem sempre o brilho e o valor apenas na razão.[9]

Muito da poesia da época perde em espontaneidade, submetida aos procedimentos retóricos consagrados: alusões mitológicas, palavras "nobres", perífrases, figuras de retórica e eloqüência de estilo. Em grande parte arriscando-se a ficar travada por um racionalismo filosófico à mercê dos ornamentos frívolos. À custa de uma certa esterilidade poética avulta uma poesia de gosto filosófico, movida pelo espírito de crítica e de racionalidade. O panorama se altera na passagem para a segunda metade do século XVIII, em que traços sentimentais pré-românticos começam a se anunciar,

9. BOILEAU-DESPRÉAUX, Nicolas. *A arte poética.* Intr., trad. e notas Célia Berrettini. São Paulo, Perspectiva, 1979, p. 16 (Coleção Elos, 34).

permitindo aos poetas a conquista de um tom mais pessoal e "moderno".

No Brasil, o movimento clássico se insere num panorama bem menos ortodoxo do que o europeu. O Barroco deixara fortes marcas (são mais nítidas em Cláudio do que em Tomás) e as antecipações pré-românticas estão misturadas ao traço árcade-rococó dos poetas mineiros, os mais representativos dos grupos de então, embora tenhamos tido algumas academias na Bahia (Esquecidos, 1724; Renascidos, 1759) e no Rio de Janeiro (Felizes, 1736; Seletos, 1752).

Produz-se, então, no Brasil, uma poesia apoiada nos aspectos mais relevantes da estética clássica:[10] 1.º) *o princípio da verossimilhança*, através do qual se exclui da obra literária o que seja considerado insólito, anormal ou estritamente local ou excessivo capricho da imaginação; 2.º) *a imitação da natureza*, que consiste na busca de acentuar e escolher os aspectos essenciais do modelo tomado como base, excluindo-se desse modelo o que for grosseiro, hediondo, vil ou monstruoso; 3.º) *o intelectualismo*, ou seja, o amor à razão, ao bom senso, a valorização do estável e universal; 4.º) *o culto do sublime*, nascido de um estilo simples e natural, acarretando, todavia, uma contradição interna ao estilo, uma vez que o sublime "é irredutível à razão

10. SILVA, Victor Manuel de. *Teoria da literatura.* 3.ª ed. Coimbra, Almedina, 1973, p. 446-453.

e escapa ao código das regras",[11] tendo-se talvez originado daí a tendência pré-romântica que aparecerá no final do período; 5.º) *a valorização das regras*, característica que imprime no escritor a concepção de que sua arte é um esforço criador lúcido, disciplinado, que possui condutas específicas de conteúdo e forma; 6.º) *o princípio da imitação dos clássicos gregos e latinos*, de herança renascentista, e que estabelece uma constante referência, interna aos textos, a outros textos ou passagens célebres, como é freqüente em certos poemas de Tomás nos quais ele se refere a passagens mitológicas e históricas.

Um tópico que muito se destaca nesta poesia empenhada na redescoberta da natureza e apoiada em preceitos oriundos, principalmente, das estéticas de Horácio e Boileau, é o artesanato poético. Tomás Antônio Gonzaga parte de um tema simples, o bucolismo amoroso pastoril, e o submete a um tratamento baseado nas constantes repetições dos clichês retóricos disponíveis ao poeta de seu tempo, tais como o *fugere urbem*: a fuga da cidade, a construção de um cenário fixo, verdadeiro pano de fundo, de cunho bucólico, pastoril e suave, propício à ambiência das "festas galantes"; o *carpe diem*: a captação do tempo como algo que flui, que necessita ser vivido no presente; o *locus amoenus*: complemento do *fugere urbem*, pois indica o cenário de amenidades, o sítio bucólico construído

11. *Idem*, p. 451.

entre as "claras e frescas águas de cristal", *topoi* freqüente na poesia do renascimento; e a *aurea mediocritas*, que consiste na valorização das coisas medianas, focalizadas pela razão, pelo bom senso. Contudo, Gonzaga consegue inovar, principalmente no que concerne ao ritmo e à estrofação das liras que, se derivam das odes anacreônticas (o canto de amor pastoril), complementam e ampliam-lhe de forma pessoal o acervo técnico.

Waltensir Dutra[12] destaca alguns dos aspectos desta renovação: a precisão pouco poética do vocabulário, cujo poder de "sugestão" é reduzido ao mínimo; o perfeito equilíbrio de sons agudos e graves, que confere às liras um ritmo normalmente binário; a inclinação pelas estrofes de quatro a sete versos, com padrão variável, e o uso habitual de rimas agudas antes das graves. Apesar de todo o arranjo formal nitidamente elaborado, planejado, Gonzaga consegue conferir à sua poesia uma marca de naturalidade e improviso, tal a perícia com que maneja seu instrumental técnico.

Normalmente situado no *Arcadismo*,[13] Tomás Antônio Gonzaga alinha-se, todavia, num cruzamento pe-

12. DUTRA, Waltensir. *Vide* bibliografia, p. 479.

13. É aconselhável a leitura, sobre o assunto, do texto de MERQUIOR, José Guilherme. *Os estilos históricos na literatura ocidental*. *In*: PORTELA, Eduardo e outros. *Teoria literária*. Rio de Janeiro, Tempo Brasileiro, 1975, p. 40-92 (ETU, 42). Neste artigo o crítico especifica a variabilidade de tônicas manifestadas pelo período neoclássico, que jamais pode ser

culiar de tendências, mesclando procedimentos rococós, neoclássicos e pré-românticos.

Do *Rococó* — que exibe em tudo a marca da mulher, do intimismo, da feminilidade e do prazer — o poeta recupera o sentido lúdico de uma literatura de salão, de gosto plástico e pastoril, embora haja em seus versos o esbatimento da nota de prazer hedonista muito forte no Rococó europeu. É nítida a presença, nas liras e sonetos dedicados a Marília, Nise, Lidora, Laura, Ormia, Altéia e Dircéia, desse traço rococó. Em especial naquelas peças em que situa sua pastora num *locus amoenus*, o bosque aprazível, refúgio bucólico em que se canta o amor à delicadeza e ao sensível. Assim como nas "festas galantes" pintadas nos quadros de Antoine Watteau,[14] nos quais o mundo pastoril é dotado de elegância sensual e aristocrática, o cenário em que o pastor Dirceu celebra seu amor a Marília é povoado de deuses gregos e latinos e bafejado de odores suaves e lascivos, sendo protegido por um deus do Amor cúmplice das travessuras amenas em que impera o suave e superficial, a exemplo do que ocorre na lira "Cupido, tirando/dos ombros a aljava" (lira 46 na edição de Lapa):

visto como um bloco unificado de tendências, mas como uma encruzilhada estilística extremamente matizada e complexa.

14. WATTEAU, Antoine, pintor francês (1684-1721), famoso por seus quadros em que retrata as "festas galantes", num estilo pastoril aristocrático. Watteau entrou para a Academia com o quadro "Embarquement pour Cythère", em 1717.

Cupido, tirando
dos ombros a aljava,
num campo de flores,
contente, brincava.

E o corpo tenrinho
depois, enfadado,
incauto reclina
na relva do prado.

Marília formosa,
que ao deus conhecia,
oculta, espreitava
quanto ele fazia.

Mal julga que dorme,
se chega, contente,
as armas lhe furta,
e o deus a não sente.

Os Faunos, mal viram
as armas roubadas,
saíram das grutas
soltando risadas.

Acorda Cupido,
e a causa sabendo,
a quantos o insultam
responde, dizendo:

— Temíeis as setas
nas minhas mãos cruas?
Vereis o que podem
agora nas suas.

O ritmo breve, sincopado, o poema despretensioso e descritivo, o viver que se espraia no agradável da vida sem profundezas nem dilemas, numa festa constante e numa lúdica homenagem ao amor, o traço de lascívia amorosa, em que pastores, faunos e deuses convivem alegremente entre as flores e a fina relva — eis o teor rococó, na versão brasileira que dele nos apresenta a lírica de Tomás. Brasileira, mas sem a presença da cor local, outro traço que tipifica a paisagem rococó, sempre um pano de fundo imóvel, em que jaz intocada por qualquer traço de realismo, uma natureza aprazível, o *locus amoenus.*

Do *Arcadismo* — que se vai opor ao cultismo arrevesado de Marino e que surge como busca do racional, do despojado, da clareza e objetividade, do retorno aos *topoi* do bucolismo renascentista e clássico, da valorização ao regular, da natureza harmoniosa e verossimilmente captada — Tomás apreende e retoma os conceitos horacianos de poetar, numa compreensão da obra de arte como reinvenção do natural e do ideal da *aurea mediocritas*, aquele anseio de vida envolvida na mediania, no querer que aspira o não demasiado, mas suficiente, e repudia o tom de excesso da grandiloqüência do barroco tardio e postiço. É nos poemas de gosto predominantemente arcádico, vincados da estética neoclássica em sua versão mais nítida, que o poeta apresentará o gosto da referência aos autores modelares, às figuras históricas louváveis e grandiosas. Distingue-se do Rococó sobretudo por seu caráter não mais lúdico e superficial, mas por sua tendência a aprofundar filosófica e racionalmente o teor de seu pensamento.

Quanto ao aspecto do anseio à vida média, ao amor visto quase que como uma "declaração de bens", temos a lira "Eu, Marília, não sou algum vaqueiro",[15] em cuja primeira e última estrofes encontram-se sintetizados esses ideais:

Eu, Marília, não sou algum vaqueiro,
que viva de guardar alheio gado,
de tosco trato, de expressões grosseiro,
dos frios gelos e dos sóis queimado.
Tenho próprio casal e nele assisto;
dá-me vinho, legume, fruta, azeite;
e mais as finas lãs de que me visto.
    Graças, Marília bela,
    graças à minha estrela!

(. . . . .)

Depois que nos ferir a mão da morte,
ou seja neste monte, ou noutra serra,
nossos corpos terão, terão a sorte
de consumir os dous a mesma terra.

15. Transcrita na íntegra, nesta edição, p. 81.

Na campa, rodeada de ciprestes,
lerão estas palavras os pastores:
"Quem quiser ser feliz nos seus amores,
siga os exemplos que nos deram estes."
Graças, Marília bela,
graças à minha estrela!

O pastor oferece à sua amada não o amor lascivo e lúdico, entre montes e prados, num clima de "farândola" rococó, mas apresenta-lhe seus dotes, físicos, materiais e morais, que dele fazem o bom "partido", o pretendente ideal para uma vida calma, provida do necessário, capaz de estender-se até a morte, numa união em que a temperança toma lugar à paixão.

Do *Pré-romantismo* Tomás retira o impulso à internalização psicológica, principalmente no traçado do pastor Dirceu, e o toque localista, raro em sua poesia, é verdade, de mostrar não mais o rígido pano de fundo bucólico-pastoril, que tudo reduz às claras águas e aos amenos campos, mas a Vila Rica de seu tempo, de minadas serras e plantações de fumo, como se pode ver na lira "Tu não verás, Marília, cem cativos":[16]

Tu não verás, Marília, cem cativos
tirarem o cascalho e a rica terra,
ou dos cercos dos rios caudalosos,
ou da minada serra.

16. Transcrita na íntegra, nesta edição, p. 85.

Não verás separar ao hábil negro
do pesado esmeril a grossa areia,
e já brilharem os granetes de oiro
no fundo da bateia.

Não verás derrubar os virgens matos,
queimar as capoeiras inda novas,
servir de adubo à terra a fértil cinza,
lançar os grãos nas covas.

(. . . . . .)

Opondo-se ao código árcade prefixado para a paisagem, nesta lira Tomás nos apresenta a atividade da mineração, o uso das queimadas, o plantio de fumo, o cenário doméstico de um jurista (nos versos aqui não transcritos). Enfim, é a paisagem local, o mundo colonial brasileiro que transparece e aponta para a verdade sócio-cultural das Minas Gerais daquele tempo, num localismo que será a tônica dos nossos primeiros românticos (*vide* Alencar e Gonçalves Dias), interessados em registrar a presença do nacional, do contorno americano particular, que muito nos distingue da Europa.

Esta atitude localista já havia sido apontada por Afonso Ávila, em estudo sobre a lírica mineira: "(. . .) os autores coloniais, presos embora à tutela dos modelos portugueses, traíam já em suas composições poéticas ou nas descrições em prosa a sublimação da paisagem natural. (. . .) E o fato de haverem muitas vezes conformado sua imaginação ao fenômeno edenista, numa identificação psicológica com o colono comum, influiu mesmo para que se preparasse entre nós o advento do romantismo, antecipado, aliás, na inovação rítmica de um Gonzaga ou na linguagem de um Silva Alvarenga."[17]

A presença deste traço romântico antecipador mostra-se, também, nas liras em que o retrato da amada, feito com as tintas do mais completo descritivismo, vê-se alterado na análise psicológica do amado, cujo retrato é captado em suas oscilações e dilemas, como se pode ver, por exemplo, neste trecho da lira "Nesta triste masmorra":

   Nesta triste masmorra,
de um semivivo corpo sepultura,
   inda, Marília, adoro
   a tua formosura.
Amor na minha idéia te retrata;
busca, extremoso, que eu assim resista
à dor imensa, que me cerca e mata.

A ambiência plácida e estável do harmonioso e alegre universo pastoril se apresenta sob a metáfora de uma prisão, que retém o corpo, mas que acima de tudo encarcera, na dor, um coração amante, que

17. Ávila, Afonso. *Vide* bibliografia, p. 35.

não mais resiste aos impulsos de sentimentos contraditórios, hostis à pretensão árcade de regularidade, racionalidade e equilíbrio, ou à pretensão rococó da amenidade superficial e descritivista.

A considerar-se a séria e documentada pesquisa de Manuel Rodrigues Lapa, a obra poética de Gonzaga não se restringe aos textos das liras, encômios e sonetos, estendendo-se também à sátira das *Cartas Chilenas.* [18]

Esta é, contudo, uma questão ainda hoje discutida pela crítica literária, embora majoritariamente seja aceita a autoria de Gonzaga. Dois autores principalmente discutem entre nós o problema, questionando a certeza de Lapa: Domingos Carvalho da Silva, que supõe "talvez não seja temerário afirmar que o problema da autoria das *Cartas Chilenas* ainda está pendente de solução"; [19] e Wilson Martins, em sua *História da inteligência brasileira,* argumenta que as *Cartas Chilenas* poderiam ter sido escritas por qualquer amador da literatura, qualquer poeta bissexto das montanhas mineiras, embora acrescente, ao final: "Nada disso tira ao trabalho do Sr. Rodrigues Lapa qualquer das suas notáveis qualidades de erudição proba e conscienciosa, nem, mesmo, da sua credibilidade, no estado atual da questão. Com os elementos de que dispomos, quero dizer, abandonadas as impressões puramente subjetivas

18. A Editora Agir, pela mesma Coleção Nossos Clássicos, lançará um volume com as *Cartas Chilenas.*

19. SILVA, Domingos Carvalho da. *Vide* bibliografia, p. 55.

de leitura, e apoiando-se exclusivamente em *dados* históricos e filológicos, parece impossível contestar os resultados a que chegou o Sr. Rodrigues Lapa quanto à autoria das *Cartas Chilenas.*" [20]

Peças satíricas, as cartas costumam ser indicadas como pertencentes a duas fases: uma, completa, que abrange da 1.ª à 7.ª; e outra, incompleta, da 8.ª à 13.ª. Documento de época, o texto, com suas alegorias contra o poder de um mandatário corrupto, apresenta, todavia, muitas contradições: "na terrível e impiedosa sátira, Critilo apresenta-nos um tipo exemplar de conservadorismo, cheio de respeito ao regime governamental então vigente, de que o Fanfarrão não era uma exceção". [21]

No conjunto da obra de Gonzaga, restaria ainda mencionar o *Tratado de Direito Natural*, texto menor e ensaístico, louvando, em teses ainda contra-reformistas, o direito divino do monarca, que não devia ser, segundo o texto de Gonzaga, de forma alguma subordinado ao povo. Daquele que louva o Monarca como ser supremo, ao homem que se envolveu na Inconfidência, ainda que de forma discutível e com aspectos sombrios, Gonzaga desenvolveu um longo e diversificado trajeto, no qual, sobretudo, destaca-se como poeta lírico-amoroso, sua faceta sem dúvida maior.

20. MARTINS, Wilson. *Vide* bibliografia, p. 475.
21. CÂNDIDO, Antônio. *Formação da literatura brasileira. Vide* bibliografia, p. 167.

Mestre nos artifícios poéticos da escola literária a que se filia histórica e estilisticamente, o poeta Gonzaga tem desafiado o passar do tempo com uma obra lírica na qual o artesanato se apresenta sob a forma de uma singela "naturalidade". Em seus textos, o delírio, a paixão, o absconso deixam lugar ao suave, ao regular, à mediania, aos sonhos que o aproximam do homem comum. Mas no seu lamento ora heróico, ora ardiloso, em prol da liberdade, algo avulta de sedutoramente ambíguo, e que traça o perfil de um Janus nesta lírica de face múltipla, uma das razões, talvez, de sua permanência: foi capaz de ultrapassar os padrões prévios de escola e, por sobre os ditames a que o conduzia a razão, almejou e cantou os dois valores mais fundamentais do homem — o amor e a liberdade.

O Ciclo de Marília

MARÍLIA DE DIRCEU

RETRATOS DA AMADA:[1]

PINTAM, MARÍLIA, OS POETAS

Pintam, Marília,[2] os poetas
a um menino vendado,

1. As liras (composição poética que comporta, ao aproximar-se tematicamente da *ode* (canto), assuntos graciosos vazados numa linguagem leve) reunidas sob o título "Retratos da amada" mostram-nos o poeta tomando a seu cargo a "pintura" da pastora Marília sob a égide do traço rococó, ou seja, apresentam-na sob um descritivismo elegante, através do qual é fisicamente captada a beleza da amada, ainda que de modo pudico, sem que se proceda a uma análise psicológica de seu perfil. O ritmo é em geral ligeiro, sincopado, e há uma profunda obediência aos cânones estilísticos da natureza amena, do cenário pastoril, da lascívia amorosa de um mundo sem profundezas.

Essa atitude "pictórica" demonstra um Gonzaga afeito à teoria de Horácio, segundo o qual há um paralelismo entre a pintura e a poesia ("ut pictura, poiesis" — "assim como a pintura, a poesia"); poetar é pintar, traçar perfis. Ao longo de

com uma aljava[3] de setas,
arco empunhado na mão;
ligeiras asas nos ombros,
o tenro corpo despido,
e de Amor ou de Cupido
são os nomes que lhe dão.

Porém eu, Marília, nego,
que assim seja Amor, pois ele
nem é moço nem é cego,
nem setas nem asas tem.
Ora pois, eu vou formar-lhe
um retrato mais perfeito
que ele já feriu meu peito:
por isso o conheço bem.

Os seus compridos cabelos,
que sobre as costas ondeiam,
são que os de Apolo mais belos,
mas de loura cor não são.
Têm a cor da negra noite;[4]

todo o poema se estende esta identificação entre o poeta e o pintor. (Na numeração de Lapa, esta é a lira 22.)

2. Nome de que o poeta lança mão para designar sua Musa. Nas poesias amorosas árcades, Marília era um nome tão freqüente quanto Nise, Amarílis, Laura e Galatéia.

3. Coldre ou estojo onde se põem as setas.

4. Em algumas liras a pastora Marília é descrita como loura. Há sobre isto duas versões: a primeira, como informa Rodri-

e com o branco do rosto
fazem, Marília, um composto
da mais formosa união.

Tem redonda e lisa testa,
arqueadas sobrancelhas,
e seus olhos são uns sóis.
Aqui vence Amor ao Céu:
que no dia luminoso
o Céu tem um sol formoso,
e o travesso Amor tem dois.

Na sua face mimosa,
Marília, estão misturadas
purpúreas folhas de rosa,
brancas folhas de jasmim.
Dois rubins [5] mais preciosos
os seus beiços são formados;
os seus dentes delicados
são pedaços de marfim.

gues Lapa, é atribuída à penetração da influência clássica dos cabelos louros, especialmente via Petrarca; a outra, conforme opina Tarquínio J. B. de Oliveira, dever-se-ia ao fato de ter existido na vida do poeta uma outra dama, loura, motivo de suas desavenças com o governador de Vila Rica, Cunha Meneses.

5. Forma arcaica para *rubis*.

Mal vi seu rosto perfeito,
dei logo um suspiro, e ele
conheceu haver-me feito
estrago no coração.
Punha em mim os olhos, quando
entendia eu não olhava;
vendo que o via, baixava
a modesta vista ao chão.

Chamei-lhe um dia formoso;
ele, ouvindo os seus louvores,
com um modo desdenhoso
se sorriu e não falou.
Pintei-lhe outra vez o estado,
em que estava esta alma posta;
não me deu também resposta,
constrangeu-se e suspirou.

Conheço os sinais, e logo,
animado da esperança,
busco dar um desafogo
ao cansado coração.
Pego em seus dedos nevados,
e querendo dar-lhe um beijo,
cobriu-se todo de pejo
e fugiu-me com a mão.

Tu, Marília, agora vendo
de Amor o lindo retrato,
contigo estarás dizendo

que é este o retrato[6] teu.

6. Esta lira reúne-se a uma série de outras que têm por objetivo retratar o esplendor da amada, aproximando-a da beleza das flores, do brilho das pedras preciosas e do cromatismo do branco e do vermelho, principalmente. Os "retratos" são em geral de meio corpo, evidenciando-se o rosto e tendendo a espiritualizar a amada e a relação amorosa. Esta imagem permanece constante em quase todas as liras voltadas a descrever e pintar a Musa. Como informa Fernando Cristóvão (ver bibliografia, p. 69), há contudo duas liras nas quais é captada de 37 na numeração de Lapa) e a lira "A estas horas/eu procuramodo não platônico: "Minha Marília,/tu enfadada?" (lira va" (lira 71 na numeração de Lapa). Como exemplo, vejamos a estrofe 5, versos 45 a 55, da lira 37:

Quando apareces
nos seus cabelos.
na madrugada,
mal embrulhada
na larga roupa,
e desgrenhada,
sem fita ou flor,
ah! que então brilha
a natureza!
Então se mostra
tua beleza
inda maior.

E também a estrofe 2, versos 6 a 10, da lira 71:

A porta abria,
inda esfregando
os olhos belos,
sem flor nem fita
nos seus cabelos.

Sim, Marília, a cópia é tua,
que Cupido é deus suposto:
se há Cupido, é só teu rosto
que ele foi quem me venceu.

MARÍLIA, TEUS OLHOS *

Marília, teus olhos
são réus e culpados
que sofra e que beije
os ferros pesados
de injusto senhor.
    Marília, escuta
    um triste pastor.

Mal vi o teu rosto, [1]
o sangue gelou-se,
a língua prendeu-se,
tremi e mudou-se
das faces a cor.
    Marília, escuta
    um triste pastor.

* Lira 23 na numeração de Lapa.

1. Esta lira, mesmo integrando o grupo das que compõem o "retrato da amada", insinua o tema de Dirceu: a pretexto de pintar o retrato de Marília, é de si mesmo que ele fala, afirmando os sentimentos contraditórios que o invadem em presença do amor.

A vista furtiva,
o riso imperfeito
fizeram a chaga,
que abriste no peito,
mais funda e maior.
    Marília, escuta
    um triste pastor.

Dispus-me a servir-te; [2]
levava o teu gado
à fonte mais clara,
à vargem e prado
de relva melhor.
    Marília, escuta
    um triste pastor.

Se vinha da herdade,
trazia nos ninhos
as aves nascidas,
abrindo os biquinhos
de fome ou temor.
    Marília, escuta
    um triste pastor.

2. Recupera-se aqui a visão do amor-servidão, do amado tocado pela "coyta" (dor) de amar. Discrepa, neste sentido, de outras liras em que o ideal horaciano da mediania, a *aurea mediocritas*, se apresenta na proposta de um amor calmo e maduro, fundado numa concepção realista da convivência a dois, como na lira "Eu, Marília, não sou algum vaqueiro".

Se alguém te louvava,
de gosto me enchia;
mas sempre o ciúme
no rosto acendia
um vivo calor.
    Marília, escuta
    um triste pastor.

Se estavas alegre,
Dirceu se alegrava;
se estavas sentida,
Dirceu suspirava
à força da dor.
    Marília, escuta
    um triste pastor.

Falando com Laura,
Marília dizia;
sorria-se aquela,
e eu conhecia
o erro de amor.
    Marília, escuta
    um triste pastor

Movida, Marília,
de tanta ternura,
nos braços me deste
da tua fé pura

um doce penhor.
Marília, escuta
um triste pastor.

Tu mesma disseste
que tudo podia
mudar de figura,
mas nunca seria
teu peito traidor.
Marília, escuta
um triste pastor.

Tu já te mudaste;
e a olaia[3] frondosa,
aonde escreveste
a jura horrorosa,
tem todo o vigor.
Marília, escuta
um triste pastor.

Mas eu te desculpo,
que o fado tirano
te obriga a deixar-me,
pois busca o meu dano
da sorte que for.
Marília, escuta
um triste pastor.

3. Árvore bastante ornamental, de origem asiática, de folhas redondas e flores cor de púrpura.

OH! QUANTO PODE EM NÓS A VÁRIA ESTRELA! *

Oh! quando pode em nós a vária estrela! [1]
que diversos que são os gênios nossos!
Qual solta a branca vela
e afronta sobre o pinho os mares grossos;
qual cinge com a malha o peito duro,
e, marchando na frente das coortes,
faz a torre voar, cair o muro.

O sórdido avarento em vão defende
que possa o filho entrar no seu tesouro:
aqui, fechado, estende
sobre a tábua, que verga, as barras de ouro.
Sacode o jogador do copo os dados;

* Lira 26 na numeração de Lapa.

1. Esta composição antecipa grandemente o clima de análise psicológica que marcará as liras da chamada Parte II (liras da prisão). Contrasta também com a ambiência do *locus amoenus,* pois nela enfatiza-se a mutabilidade de tudo, através da menção à diversidade das tendências humanas, colhidas em suas contradições. A lira, a cada estrofe, estrutura contrastes: males/ventura, prazeres/desgraça, morte/vida. É a forma hábil encontrada pelo poeta para introduzir o tema de que, sobre a imperfeição humana, reina, soberana, a perfeição da amada.

e numa noite só, que ao sono rouba,
perde o resto dos bens, do pai herdados.

O que da voraz gula o vício adora,
da lauta mesa os seus prazeres fia;
   e o terno Alceste chora
ao som dos versos, a que o gênio o guia.
O sábio Galileu toma o compasso,
e sem voar ao céu, calcula e mede
das estrelas e sol o imenso espaço.

Enquanto pois, Marília, a vária gente
se deixa conduzir do próprio gosto,
   passo as horas contente,
notando as graças do teu lindo rosto.
Sem cansar-me a saber se o sol se move,
ou se a terra volteia, assim conheço
aonde chega a mão do grande Jove.

Noto, gentil Marília, os teus cabelos;
e noto as faces de jasmins e rosas;
   noto os teus olhos belos,
os brancos dentes e as feições mimosas;
quem fez uma obra tão perfeita e linda,
minha bela Marília, também pode
fazer os céus e mais, se há mais ainda.

VOU RETRATAR A MARÍLIA *

Vou retratar a Marília,
a Marília, meus amores;
porém como? se eu não vejo
quem me empreste as finas cores:
dar-mas a terra não pode;
não, que a sua cor mimosa
vence o lírio, vence a rosa,
o jasmim e as outras flores.
    Ah! socorre, Amor, socorre
    ao mais grato empenho meu!
    Voa sobre os astros, voa,
    traze-me as tintas do céu.[1]

Mas não se esmoreça logo;
busquemos um pouco mais;
nos mares talvez se encontrem
cores, que sejam iguais.
Porém, não, que em paralelo
da minha ninfa adorada
pérolas não valem nada,
não valem nada os corais.[2]

* Lira 27 na numeração de Lapa.

1. Lira de conquista, dentro dos princípios da correlação poesia-pintura, demonstrando-se o poeta afeito aos cânones da retórica latina, via Horácio.

2. Nada se compara à beleza da pastora Marília, enaltecida ao máximo.

Ah! socorre, Amor, socorre
ao mais grato empenho meu!
Voa sobre os astros, voa,
traze-me as tintas do céu.

Só no céu achar-se podem
tais belezas como aquelas
que Marília tem nos olhos,
e que tem nas faces belas;
mas às faces graciosas,
aos negros olhos, que matam,
não imitam, não retratam
nem auroras nem estrelas.
Ah! socorre, Amor, socorre
ao mais grato empenho meu!
Voa sobre os astros, voa,
traze-me as tintas do céu.

Entremos, Amor, entremos,
entremos na mesma esfera;
venha Palas, venha Juno,
venha a deusa de Citera.[3]
Porém, não, que se Marília

3. Conforme o que preconizava o Arcadismo, o poeta atende ao preceito de cultivar referências aos deuses e à mitologia greco-romana. Palas, filha do deus Tritão, companheira da deusa Atena. Juno, divindade latina que corresponde a Hera, na mitologia grega. Protegia as matronas e o casamento, como também a vida social e moral.

no certame antigo entrasse,
bem que a Páris[4] não peitasse,
a todas as três vencera.
    Vai-te, Amor, em vão socorres
    ao mais grato empenho meu:
    para formar-lhe o retrato
    não bastam tintas do céu.

A MINHA BELA MARÍLIA *

A minha bela Marília
tem de seu um bom tesouro;
não é, doce Alceu, formado
    do buscado[1]
    metal louro;
é feito de uns alvos dentes,
é feito de uns olhos belos,

4. Referência ao príncipe Páris, da lenda grega sobre o rapto de Helena, esposa de Menelau, fato que causou a Guerra de Tróia, tema da *Ilíada*, do poeta grego Homero.

* Lira 35 na numeração de Lapa.

1. O ritmo, elemento poético manejado com virtuosismo por Gonzaga, apontado, neste sentido, como um precursor dos múltiplos caminhos abertos pelos poetas românticos, avulta aqui através do cavalgamento ou *enjambement* (continuidade sintático-semântica de um verso em outro). É interessante notar a valorização do binarismo, na repetição anafórica de "é feito/ é feito".

de umas faces graciosas,
de crespos, finos cabelos,
e de outras graças maiores,
que a Natureza [2] lhe deu:
    Bens, que valem sobre a terra,
    e que têm valor no céu.

Eu posso romper os montes,
dar às correntes desvios,
pôr cercados espaçosos
    nos caudosos,
    turvos rios.
Posso emendar a ventura
ganhando, astuto, a riqueza;
mas, ah! caro Alceu, [3] quem pode
ganhar uma só beleza,
das belezas que Marília
no seu tesouro meteu?
    Bens, que valem sobre a terra,
    e que têm valor no céu.

Da sorte que vive o rico,
entre o fausto, alegremente,
vive o guardador do gado,

2. A preocupação clássica de harmonizar com a natureza, de mimetizar-lhe o equilíbrio e o poder criador.
3. Alceu — na mitologia grega, era o filho de Perseu e pai de Anfitrião. Aqui, de acordo com as convenções do arcadismo, é o nome de um pastor a quem se dirige Dirceu.

apoucado,[4]
mas contente.
Beije pois torpe avarento
as arcas, de barras cheias;
eu não beijo os vis tesouros;
beijo as douradas cadeias,
beijo as setas, beijo as armas
com que o cego Amor [5] venceu:
Bens, que valem sobre a terra,
e que têm valor no céu.

Ama Apolo,[6] o fero Marte,[7]
ama, Alceu, o mesmo Jove:[8]
não é, não, a vã riqueza,
sim beleza,
quem as move.
Posto ao lado de Marília,
mais que mortal me contemplo;

4. Apresenta-nos aqui o poeta o ideal da *aurea mediocritas*: para ser feliz, o guardador de gado não necessita de riquezas e tesouros, mas do *bem* do amor e da paz do natural.

5. Cupido — deus do Amor.

6. Apolo — deus do Sol, condutor das musas, na mitologia grega.

7. Marte — deus da guerra, venerado em Roma, mitologia latina.

8. Jove (ou Júpiter) — Deus supremo que dirigia homens e deuses, segundo os romanos.

deixo os bens, que aos homens cegam,
sigo dos deuses o exemplo:
amo virtudes e dotes;
amo, enfim, prezado Alceu,
Bens, que valem sobre a terra,
e que têm valor no céu.

MUITO EMBORA, MARÍLIA, MUITO EMBORA *

Muito embora, Marília, muito embora
outra beleza, que não seja a tua,
com a vermelha roda, a seis puxada,
faça tremer a rua;

As paredes da sala, aonde habita,
adorne a seda e o tremó dourado;
pendam largas cortinas, penda o lustre
do teto apainelado,

Tu não habitarás palácios grandes,
nem andarás nos coches voadores;
porém terás um vate [1] que te preze,
que cante os teus louvores.

* Lira 41 na numeração de Lapa.

1. Lira em que o poeta destaca o poder da criação literária em face do tempo, que tudo consome. Emite o conceito, que

O tempo [2] não respeita a formosura;
e da pálida morte a mão tirana
arrasa os edifícios dos Augustos,
e arrasa a vil choupana.

Que belezas, Marília, floresceram,
de quem nem sequer temos a memória!
Só podem conservar um nome eterno
os versos, ou a história.

reaparece em outras liras, de que a *permanência*, a que o ser humano tanto aspira, pode ser obtida através da arte. Sobre a questão da *permanência* na arte, ver: LYRA, Pedro. A dialética arte-sociedade. *In: Utiludismo — a socialidade da arte.* 2.ª ed. Rio de Janeiro, José Olympio; Fortaleza, UFC, 1982.

2. O tempo é um tema constante em Gonzaga, dele merecendo um tratamento em que se destacam, pelo menos, três aspectos mais reiterados: 1.º) a contemplação do fluir do tempo provoca o *carpe diem,* isto é, a busca de viver o momento, com plenitude e, na maioria dos poemas, de ambicionar o equilíbrio da medianía; 2.º) o tempo, por tudo corroer, mostra que a arte é a principal forma do homem eternizar-se; e 3.º) como propõe Eugênio Gomes (ver bibliografia, p. 46), "o tempo adquiriu um sentido que escapava à convenção poética estabelecida e de tal modo que comunica à sua lírica um frêmito angustioso e insólito, fazendo-a, já por aí, antecipar-se às manifestações insofridas do individualismo romântico".

Se não houvesse Tasso,[3] nem Petrarca,[4]
por mais que qualquer delas fosse linda,
já não sabia o mundo se existiram
nem Laura, nem Clorinda.

É melhor, minha bela, ser lembrada
por quantos hão de vir sábios humanos,
que ter urcos,[5] ter coches e tesouros,
que morrem com os anos.

ENCHEU, MINHA MARÍLIA, O GRANDE JOVE *

Encheu, minha Marília, o grande Jove
de imensos animais de toda a espécie
as terras, mais os ares
o grande espaço dos salobros rios,
dos negros, fundos mares.
Para sua defesa,

3. Torquato Tasso (1544-1595): poeta italiano, autor de poemas líricos e do épico *Jerusalém Libertada,* do qual Clorinda é personagem.
4. Francisco Petrarca (1304-1374): um dos maiores poetas italianos, humanista, autor, dentre outras, das obras: *Cancioneiro, Triunfos, Églogas, Rimas.* Criador do soneto de modelo italiano (o que se compõe de duas quadras e dois tercetos), celebrizou em sua lírica a imagem de sua musa, Laura.
5. Cavalos grandes e bonitos.
* Lira 43 na numeração de Lapa.

a todos deu as armas, que convinha,
a sábia Natureza.

Deu as asas aos pássaros ligeiros,
deu ao peixe escamoso as barbatanas;
deu veneno à serpente,
ao membrudo elefante a enorme tromba,
e ao javali o dente.
Coube ao leão a garra;
com leve pé saltando o cervo foge;
e o bravo touro marra.

Ao homem deu as armas do discurso, [1]
que valem muito mais que as outras armas;
deu-lhe dedos ligeiros,
que podem converter em seu serviço
os ferros e os madeiros;
que tecem fortes laços
e forjam raios, com que aos brutos cortam
os vôos, mais os passos.

Às tímidas donzelas pertenceram
outras armas, que têm dobrada força:
deu-lhes a Natureza,

1. Distinção iluminista entre o homem, racional, e os outros seres, irracionais. Novamente, como na lira anterior, louva o poeta a força do verbo, do intelecto, capaz de transformar o mundo e modificar a natureza, pondo-a a serviço das necessidades humanas.

além do entendimento, além dos braços,
as armas da beleza.[2]
Só ela ao céu se atreve,
só ela mudar pode o gelo em fogo,
mudar o fogo em neve.

Eu vejo, eu vejo ser a formosura
quem arrancou da mão de Coriolano[3]
a cortadora espada.
Vejo que foi de Helena[4] o lindo rosto
quem pôs em campo, armada,
toda a força da Grécia.
E quem tirou o cetro aos reis de Roma,
só foi, só foi Lucrécia.[5]

2. Visão tradicionalista do poeta da mulher como "belo sexo" ao qual estão destinadas as fainas da "timidez" e da sedução pela imagem física. Caberia ao homem o trabalho propriamente intelectual.

3. Bem dentro dos preceitos da época, de evocar figuras históricas e mitológicas ou literárias, o autor enaltece o poder da mulher pela evocação de situações famosas com personagens fictícios e históricos. A citação de Coriolano relembra o fato de que este, atendendo aos apelos chorosos de sua mãe e de sua esposa, desiste da vingança contra Roma, sua pátria.

4. Helena, esposa do rei de Esparta, Menelau, que, ao ser raptada pelo príncipe Páris, provoca a Guerra de Tróia. (Ver nota 4, p. 54.)

5. Lucrécia, romana violentada por Tarquínio o Soberbo que, por seu crime, perde o trono de Roma.

Se podem lindos rostos, mal suspiram,
o braço desarmar do mesmo Aquiles; [6]
se estes rostos irados
podem soprar o fogo da discórdia
em povos aliados,
és árbitra da terra:
tu podes dar, Marília, a todo o mundo
a paz e a dura guerra.

NUM SÍTIO AMENO: [1]

ENQUANTO PASTA, ALEGRE, O MANSO GADO *

Enquanto pasta, alegre, o manso gado,
minha bela Marília, nos sentemos

6. Aquiles, personagem central da *Ilíada*, de Homero; filho de Peleu e Tétis.

* Lira 39 na numeração de Lapa.

1. As liras reunidas sob o título *Num sítio ameno* apontam para a demarcação de cenário ora árcade, ora mais rococó, escolhido por Gonzaga para a ambientação da conquista de Marília por Dirceu. Nesta lira predomina o acervo árcade: a sábia Natureza é vista em sua *regular* beleza. Explicita, assim, o poeta o ideal da mediania, retomado de Horácio possivelmente via Garção. Toda a segunda estrofe, por exemplo, apresenta um descritismo realista, muito diverso da natureza "amaneirada", rococó, que o poeta apresentará na lira a

à sombra deste cedro levantado.
Um pouco meditemos
na regular beleza,
que em tudo quanto vive nos descobre
a sábia Natureza.

Atende como aquela vaca preta
o novelhinho seu dos mais separa,
e o lambe, enquanto chupa a lisa teta.
Atende mais, ó cara,
como a ruiva cadela
suporta que lhe morda o filho o corpo,
e salte em cima dela.

Repara como, cheia de ternura,
entre as asas ao filho essa ave aquenta,
como aquela esgravata [2] a terra dura.
e os seus assim sustenta;
como se encoleriza
e salta sem receio a todo o vulto
que junto deles pisa.

seguir, "Em uma frondosa/roseira se abria". Repare-se também que, nas liras de predominância árcade, o ritmo do poema abandona a ligeireza, alongando-se os versos, numa linha melódica mais lenta.

2. Esgravatar: remexer com as unhas.

Que gosto não terá a esposa[3] amante,
quando der ao filhinho o peito brando
e refletir então no seu semblante!
Quando, Marília, quando
disser consigo: "É esta
de teu querido pai a mesma barba,
a mesma boca e testa."

Que gosto não terá a mãe, que toca,
quando o tem nos seus braços, co dedinho
nas faces graciosas e na boca
do inocente filhinho!
Quando, Marília bela,
o tenro infante já com risos mudos
começa a conhecê-la!

Que prazer não terão os pais, ao verem
com as mães um dos filhos abraçados;
jogar outros a luta, outros correrem
nos cordeiros montados!
Que estado de ventura:

3. A visão de Marília como *esposa* traz para o poema toda uma proposta de comedimento, de beatitude amorosa em face da vida doméstica e da maternidade, fazendo com que o poeta se afaste dos moldes do superficialismo temático do rococó. Essa pretensão de vida equilibrada, de lar e filhos, reflete bem a utilização, pelo poeta, do *topoi* classicizante da *aurea mediocritas*.

que até naquilo, que de peso serve,
    inspira amor doçura!

EM UMA FRONDOSA/ROSEIRA *

Em uma frondosa
roseira se abria
um negro botão.
Marília adorada
o pé lhe torcia
com a branca mão.

Nas folhas viçosas
a abelha[1] enraivada

* Lira 40 na numeração de Lapa.

1. Esta lira, que poderia ser enfeixada dentro das que realizam a "farândola rococó", segundo expressão de Antônio Cândido, é muito próxima, por seu tema, da ode 40 de Anacreonte (um dos maiores líricos da Grécia), segundo a tradução e numeração que consta em COUSIN, Almeida. *Odes de Anacreonte e suas traduções.* 4.ª ed. Rio de Janeiro, Achiamé, 1983, p. 113, onde se lê:

"Eros, no meio das rosas
Uma abelha ali escondida
Não viu. Dela foi picado
Seu dedinho. As mãos mimosas
Olha, gritando assustado.
Corre, abrindo os braços, para

o corpo escondeu.
Tocou-lhe Marília:
na mão descuidada
a fera mordeu.

Apenas lhe morde,
Marília, gritando,
co dedo fugiu.
Amor, que no bosque
estava brincando,
aos ais acudiu.

Mal viu a rotura
e o sangue espargido,
que a deusa mostrou,
risonho, beijando
o dedo ofendido,
assim lhe falou:

A bela mãe Citeréia:
— Eu morro! Expiro, mãe cara!
Eu morro! Expiro, mãe déa!
Picou-me a serpentezinha
Alada, que abelha chamam
Os que trabalham a terra!
E ela disse: — A agulhazinha
De uma abelha te dói tanto...
Julga, ó Eros, os que feres
Como hão de sofrer e quanto!"

— Se tu por tão pouco
o pranto desatas,
ah! dá-me atenção:
e como daquele
que feres e matas
não tens compaixão?

NUM SÍTIO AMENO *

Num sítio ameno,[1]
cheio de rosas,
de brancos lírios,
murtas[2] viçosas,

Dos seus amores
na companhia,
Dirceu passava
alegre o dia.

* Lira 42 na numeração de Lapa.

1. Lira que tipifica o procedimento rococó do poeta: a natureza, galante, está em festa, abre-se em flores: é o *locus amoenus* que recebe em seu regaço os enamorados. O ritmo é acelerado, versos curtos, estrofes de poucos versos. Ritmo este que endossa e reforça o campo semântico de leveza de uma natureza suave e enternecedora. Como bonecos de porcelana, na delicadeza de suas cores, os pastores perdem a densidade real, teatralizam uma "festa galante" e aristocrática, movida pelo clima do ócio.

2. Pequeno arbusto mediterrâneo, de flores pequeninas e compactas, muito usado para cercas vivas.

Em tom de graça,
ao terno amante
manda Marília
que toque e cante.

Pega na lira,
sem que a tempere,
a voz levanta,
e as cordas fere.

Cos doces pontos
a mão atina,
e a voz iguala
à voz divina.

Ela, que teve
de rir-se a idéia,
nem move os olhos,
de assombro cheia.

Então Cupido [3]
aparecendo,
à bela fala,
assim dizendo:

3. Cupido vem interceder por Dirceu, dizendo à pastora Marília que o canto e a lira do pastor são gerados pelo sentimento de Amor que se apossou do amado. Distingue-se esta postura, por exemplo, daquele outro tipo de lira em que é atribuído ao *discurso* a capacidade de tudo eternizar, até o amor.

— Do teu amado
a lira fias,
só por que dele
zombando rias?

Quando num peito
assento faço,
do peito subo
à língua e braço.

Nem creias que outro
estilo tome,
sendo eu o mestre,
a ação teu nome.

JUNTO A UMA CLARA FONTE *

Junto a uma clara fonte[1]
a mãe de Amor se sentou;
encostou na mão o rosto,
no leve sono pegou.

Cupido, que a viu de longe,
contente ao lugar correu;

* Lira 48 na numeração de Lapa.

1. Clichê clássico, já freqüente no Renascimento, e que reaparece no Rococó e no Arcadismo, a *clara fonte* é uma forma fixa de referência ao *locus amoenus*, ou seja, o sítio ameno que serve de cenário ao idílio pastoril.

cuidando que era Marília,
na face um beijo lhe deu.

Acorda Vênus [2] irada:
Amor a conhece; e então,
da ousadia que teve
assim lhe pede o perdão:

— Foi fácil, ó mãe formosa,
foi fácil o engano meu;
que o semblante [3] de Marília
é todo o semblante teu.

CAMINHOS DO AMOR:

NÃO SEI, MARÍLIA, QUE TENHO *

Não sei, Marília, que tenho, [1]
depois que vi o teu rosto,

2. Deusa latina da beleza e do amor.

3. Pela divinização de Marília, tomada como tema em que se canta a beleza (a ponto da pastora ser confundida com a deusa Vênus), a palavra *rosto* recebe aqui um sinônimo mais nobre: semblante, como que a imaterializar a pastora.

* Lira 21 na numeração de Lapa.

1. As liras arroladas nesta parte — *Caminhos do amor* — apresentam como núcleo temático não mais o retrato da amada, nem o local aprazível que serve de cenário à con-

pois quanto não é Marília
já não posso ver com gosto.
Noutra idade me alegrava,
até quando conversava
com o mais rude vaqueiro:
hoje, ó bela, me aborrece
inda o trato lisonjeiro
do mais discreto pastor.
  Que efeitos são os que sinto?
  Serão efeitos de amor?

Saio da minha cabana
sem reparar no que faço;
busco o sítio aonde moras,
suspendo defronte o passo.
Fito os olhos na janela;
aonde, Marília bela,
tu chegas ao fim do dia;
se alguém passa e te saúda,

quista, mas a busca de amor pelo pastor Dirceu. Apresentam-se nestas liras sua concepção de amor, bem como a correlação deste com o tempo e a realidade social. Num primeiro momento, expresso nesta lira, vê-se a mutação de estados d'alma do pastor, o que fere a convenção rígida da escola, de pintar cenas externas, aproximando-se aqui o poeta da atitude pré-romântica de valorização da subjetividade: enfim, são efeitos de amor no peito do amante, a exemplo do que nos sugerem os v. 51 e 53, "enche-se o peito de mágoa/e não sei a causa dela".

bem que seja cortesia,
se acende na face a cor.
    Que efeitos são os que sinto?
    Serão efeitos de amor?

Se estou, Marília, contigo,
não tenho um leve cuidado;
nem me lembra se são horas
de levar à fonte o gado.
Se vivo de ti distante,
ao minuto, ao breve instante
finge um dia o meu desgosto;
jamais, pastora, te vejo
que em teu semblante composto
não veja graça maior.
    Que efeitos são os que sinto?
    Serão efeitos de amor?

Ando já com o juízo,
Marília, tão perturbado,
que no mesmo aberto sulco
meto de novo o arado.
Aqui no centeio pego,
noutra parte em vão o sego; [2]
se alguém comigo conversa,
ou não respondo, ou respondo

2. Do verbo *segar,* que significa ceifar, cortar.

noutra coisa tão diversa,
que nexo não tem menor.
Que efeitos são os que sinto?
Serão efeitos de amor?

Se geme o bufo [3] agoureiro,
só Marília me desvela,
enche-se o peito de mágoa,
e não sei a causa dela.
Mal durmo, Marília, sonho
que fero leão medonho
te devora nos meus braços:
gela-se o sangue nas veias,
e solto do sono os laços
à força da imensa dor.
Ah! que os efeitos, que sinto,
só são efeitos de amor!

DE AMAR, MINHA MARÍLIA, A FORMOSURA *

De amar, minha [1] Marília, a formosura
não se podem livrar humanos peitos:

3. Ave noturna, coruja.

* Lira 25 na numeração de Lapa.

1. Segundo Rodrigues Lapa, "Aqui o idílio entra numa fase definitiva. O poeta trata Marília por "minha". Estariam já comprometidos. Logo, poderíamos datar esta lira de 1786-1787,

adoram os heróis,[2] e os mesmos brutos
aos grilhões de Cupido estão sujeitos.
Quem, Marília, despreza uma beleza
a luz da razão[3] precisa,
e, se tem discurso, pisa
a lei, que lhe ditou a Natureza.

Cupido entrou no céu. O grande Jove[4]
uma vez se mudou em chuva de ouro;

sem grande receio de errar. A 3.ª estrofe não vem na 1.ª edição: aparece pela primeira vez na Lacerdina de 1811. Sem dúvida Gonzaga considerou que a poesia ficara curta e acrescentou-lhe mais uma estrofe" (ver bibliografia, p. 44).

2. O tom mais nobre, heróico, desta lira desloca-se da tendência rococó. As estrofes mais longas, de ritmo mais solene, reafirmam esta opção do poeta, aqui mais tendente ao neoclássico de feição árcade. Nota-se, ao longo de toda a lira, a mistura de personagens e deuses ora designados de acordo com a vertente grega, ora latina, a exemplo do par: Jove (mitologia latina, Júpiter)/Dânae (mitologia grega).

3. O traço iluminista, a metáfora do racionalismo da época, faz-se aqui presente: o entendimento, a razão devem reger a Natureza e sua relação harmoniosa com o homem. Vê-se aqui também o preceituário clássico de clareza, proposto pelas poéticas de Horácio e de Boileau, conforme referimos mais extensamente no estudo crítico.

4. Jove ou Júpiter, na mitologia romana é o equivalente a Zeus, na mitologia grega. O deus supremo, que tinha como função primordial manter a ordem e a harmonia do mundo.

outras vezes tomou as várias formas
do general de Tebas, velha e touro.
O próprio deus da guerra,[5] desumano,
não viveu de amor ileso:
quis a Vênus[6] e foi preso
na rede, que lhe armou o deus Vulcano.[7]

Mas sendo amor igual para os viventes,
tem mais desculpa ou menos esta chama:
amar formosos rostos acredita,
amar os feios, de algum modo infama.
Quem lê que Jove amou, não lê nem topa
que amou vulgar donzela:
lê que amou a Dânae[8] bela,
encontra que roubou a linda Europa.[9]

Se amar uma beleza se desculpa
em quem ao próprio céu e terra move,

5. Marte.

6. Deusa do amor e da beleza, na mitologia romana.

7. Deus latino do fogo. Nesta estrofe o poeta manifesta, bem ao gosto clássico, sua cultura humanística, ao fazer referências ao acervo de aventuras vividas pelos deuses.

8. Dânae, da mitologia grega, era filha do rei de Argos, possuída por Zeus, que tomou, com este fim, a forma de uma chuva de ouro, conforme o poeta menciona no verso 10 da lira.

9. Europa, na mitologia grega, era filha de Agenor e Teléfassa. Para possuí-la, Jove (Zeus) se transforma num touro

qual é a minha glória, pois igualo,
ou excedo no amor ao mesmo Jove?
Amou o pai dos deuses soberano
um semblante peregrino;
eu adoro o teu divino,
o teu divino rosto, e sou humano.

MINHA BELA MARÍLIA, TUDO PASSA *

Minha bela Marília, tudo passa; [1]
a sorte deste mundo é mal segura;
se vem depois dos males a ventura,
vem depois dos prazeres a desgraça.
Estão os mesmos deuses
sujeitos ao poder do ímpio fado:
Apolo [2] já fugiu do céu brilhante,
já foi pastor de gado.

de cintilante brancura, lançando-se com ela para o mar, chegando a Creta. Teve três filhos de Zeus: Minos, Sarpédon e Radamanto. Recebeu de Zeus três presentes: um robô de bronze, um cão de guarda invencível e uma lança infalível.

* Lira 34 na numeração de Lapa.

1. Este é o tema do *carpe diem* horaciano: viver o tempo de agora, o dia que corre, pois o tempo passa rápido e a vida se esvai.

2. Deus solar, sempre representado como jovem, imberbe, "porque o sol não envelhece". Refere-se o poeta à lenda de que Apolo pastoreou por algum tempo os rebanhos do rei Admeto.

A devorante mão da negra morte
acaba de roubar o bem que temos;
até na triste campa não podemos
zombar do braço da inconstante sorte:
qual fica no sepulcro,
que seus avós ergueram, descansado;
qual no campo, e lhe arranca os frios ossos
ferro do torto arado.

Ah! enquanto os destinos impiedosos
não voltam contra nós a face irada,
façamos, sim, façamos, doce amada,
os nossos breves dias mais ditosos.
Um coração que, frouxo,
a grata posse de seu bem difere,
a si, Marília, a si próprio rouba,
e a si próprio fere.

Ornemos nossas testas com as flores
e façamos de feno um brando leito; [3]
prendamo-nos, Marília, em laço estreito,
gozemos do prazer de sãos amores.
Sobre as nossas cabeças,

3. Distingue-se esta lira daquelas que, principalmente nos "Retratos da amada" e "Num sítio ameno", nos apresentavam uma visão pudica do amor. Aqui o pastor chega ao convite para a realização carnal do amor (versos 25 a 28).

sem que o possam deter, o tempo corre;
e para nós o tempo que se passa
também, Marília, morre.

Com os anos, Marília, o gosto falta,
e se entorpece o corpo já cansado:
triste, o velho cordeiro está deitado,
e o leve filho, sempre alegre, salta.
A mesma formosura
é dote que só goza a mocidade:
rugam-se as faces, o cabelo alveja,
mal chega a longa idade. [4]

Que havemos de esperar, Marília bela?
que vão passando os florescentes dias?
As glórias que vêm tarde, já vêm frias, [5]
e pode, enfim, mudar-se a nossa estrela.
Ah! não, minha Marília,
aproveite-se o tempo, antes que faça
o estrago de roubar ao corpo as forças,
e ao semblante a graça!

4. A preocupação do poeta com o passar do tempo tem sido interpretada como um traço autobiográfico de um problema concreto: o quarentão Gonzaga-Dirceu preocupa-se com a demora de unir-se à juvenil Dorotéia-Marília.
5. Neste belíssimo verso Gonzaga sintetiza a premissa horaciana do *carpe diem*. "As glórias que vêm tarde, já vêm frias," (...) donde, "aproveite-se o tempo".

NÃO VÊS AQUELE VELHO RESPEITÁVEL *

Não vês aquele velho respeitável, [1]
que, à muleta encostado,
apenas mal se move e mal se arrasta?
Oh! quanto estrago não lhe fez o tempo,
o tempo arrebatado,
que o mesmo bronze gasta!

Enrugaram-se as faces e perderam
seus olhos a viveza;
voltou-se o seu cabelo em branca neve;
já lhe treme a cabeça, a mão, o queixo,
nem tem uma beleza
das belezas que teve.

Assim também serei, minha Marília,
daqui a poucos anos,

* Lira 38 na numeração de Lapa.

1. O *velho respeitável* é uma alegoria do passar do tempo, que nada deixa intacto ou imune às suas marcas. Este tema, que se torna uma constante na poesia de Gonzaga, confere-lhe por vezes um tom melancólico, que se choca com o "sítio ameno" que ele busca construir para a paisagem amorosa. Diante do sentimento de fragilidade provocado pelo passar do tempo, que não retorna jamais e, sobretudo, desgasta, o amor é visto como amparo da velhice, numa solução nada apaixonada, de acordo com o preceituário da mediania, nos cânones do arcadismo.

que o ímpio tempo para todos corre:
os dentes cairão e os meus cabelos.
    Ah! sentirei os danos,
    que evita só quem morre.

Mas sempre passarei uma velhice
    muito menos penosa.
Não trarei a muleta carregada,
descansarei o já vergado corpo
    na tua mão piedosa,
    na tua mão nevada.

As frias tardes, em que negra nuvem
    os chuveiros não lance,
irei contigo ao prado florescente:
aqui me buscarás um sítio ameno,
    onde os membros descanse,
    e ao brando sol me aquente.

Apenas me sentar, então, movendo
    os olhos por aquela
vistosa parte, que ficar fronteira,
apontando direi: — Ali falamos,
    ali, ó minha bela,
    te vi a vez primeira.

Verterão os meus olhos duas fontes,
    nascidas de alegria;

farão teus olhos ternos outro tanto;
então darei, Marília, frios beijos
na mão formosa e pia,
que me limpar o pranto.

Assim irá, Marília, docemente
meu corpo suportando
do tempo desumano a dura guerra.
Contente morrerei, por ser Marília
quem, sentida, chorando, [2]
meus baços olhos cerra.

EU, MARÍLIA, NÃO SOU ALGUM VAQUEIRO *

Eu, Marília, não sou algum vaqueiro, [1]
que viva de guardar alheio gado,

2. Visão da mulher como companheira, doadora, enfermeira das mazelas.

* Lira 53 na numeração de Lapa.

1. Esta lira apresenta mais duas versões, todas elas transcritas nesta antologia e já comentadas na introdução crítica, p. 16. O poema está orientado para o ideal da mediania. O amado apresenta-se, em sua conquista, como aquele que pode prover sua pastora de um lar e da necessária segurança para o futuro. Poderia ser também enfeixada no conjunto de liras que traçam o retrato do amado; pois ela também o faz, mas pela importância — em relação às concepções da

de tosco trato, de expressões grosseiro,
dos frios gelos e dos sóis queimado.
Tenho próprio casal e nele assisto;
dá-me vinho, legume, fruta, azeite;
das brancas ovelhinhas tiro o leite
e mais as finas lãs, de que me visto.
Graças, Marília bela,
graças à minha estrela!

Eu vi o meu semblante numa fonte:
dos anos inda não está cortado;
os pastores que habitam este monte
respeitam o poder do meu cajado.
Com tal destreza toco a sanfoninha,
que inveja até me tem o próprio Alceste: [2]
ao som dela concerto a voz celeste,
nem canto letra que não seja minha.
Graças, Marília bela,
graças à minha estrela!

Mas tendo tantos dotes da ventura,
só apreço lhes dou, gentil pastora,
depois que o teu afeto me segura
que queres do que tenho ser senhora.

época — do conceito de amor (estável, racional) aqui apresentado, destacamo-la neste núcleo temático.

2. Alceste é um nome poético atribuído por Gonzaga a Cláudio Manuel da Costa, variante de *Glauceste*.

É bom, minha Marília, é bom ser dono
de um rebanho, que cubra monte e prado;
porém, gentil pastora, o teu agrado
vale mais que um rebanho e mais que um trono.
　　Graças, Marília bela,
　　graças à minha estrela!

Os teus olhos espalham luz divina,
a quem a luz do sol em vão se atreve;
papoila ou rosa delicada e fina
te cobre as faces, que são cor da neve.
Os teus cabelos são uns fios d'ouro; [3]
teu lindo corpo bálsamos vapora.
Ah! não, não fez o céu, gentil pastora,
para glória de amor igual tesouro!
　　Graças, Marília bela,
　　graças à minha estrela!

Leve-me a sementeira muito embora
o rio, sobre os campos levantado;
acabe, acabe a peste matadora,
sem deixar uma rês, o nédio gado.
Já destes bens, Marília, não preciso

3. Conflita com o traço realista inicial da lira o fato de que a pastora Marília seja apresentada, no verso 35, como loura, artifício que Antônio Cândido interpreta como diluição do perfil de Maria Dorotéia numa incaracterística pastora captada, segundo a escola literária, numa galanteria rococó.

nem me cega a paixão,[4] que o mundo arrasta;
para viver feliz, Marília, basta
que os olhos movas, e me dês um riso.
Graças, Marília bela,
graças à minha estrela!

Irás a divertir-te na floresta,
sustentada, Marília, no meu braço;
aqui descansarei a quente sesta,
dormindo um leve sono em teu regaço;
enquanto a luta jogam os pastores,
e emparelhados correm nas campinas,
toucarei teus cabelos de boninas,[5]
nos troncos gravarei os teus louvores.
Graças, Marília bela,
graças à minha estrela!

Depois que nos ferir a mão da morte,
ou seja neste monte, ou noutra serra,
nossos corpos terão, terão a sorte
de consumir os dous a mesma terra.
Na campa, rodeada de ciprestes,
lerão estas palavras os pastores:

4. O que move este amor não é a paixão, é a busca do simples, da *aurea mediocritas,* o desejo da mediania.
5. Boninas são ervas ornamentais de flores alvas, rosas ou vermelhas, também chamadas de belas-margaridas ou margaridinhas.

"Quem quiser ser feliz nos seus amores,
siga os exemplos que nos deram estes."
Graças, Marília bela,
graças à minha estrela!

TU NÃO VERÁS, MARÍLIA, CEM CATIVOS *

Tu não verás, Marília, cem cativos [1]
tirarem o cascalho e a rica terra,
ou dos cercos dos rios caudalosos,
ou da minada serra.

Não verás separar ao hábil negro
do pesado esmeril a grossa areia,
e já brilharem os granetes de oiro
no fundo da bateia.

* Lira 54 na numeração de Lapa.

1. Lira de captação da natureza, de atitude localista e pré-romântica, uma vez que a paisagem é descrita a partir da verdadeira natureza brasileira de Vila Rica, e não dentro de convenções de estilo. Segundo Rodrigues Lapa, "Uma das mais curiosas composições de Gonzaga, de mais acentuado americanismo. Ao ideal industrialista da vida brasileira, a mineração, o aproveitamento da floresta virgem, a cultura do tabaco, o fabrico do açúcar, a essa vida agitada opõe ele um ideal de paz burguesa e sedentária, toda orientada nos deveres da profissão e perfumada com as graças da poesia. Era o ideal caseiro e burguês da poesia do século XVIII. Gonzaga revela-

Não verás derrubar os virgens matos,
queimar as capoeiras inda novas,[2]
servir de adubo à terra a fértil cinza,
lançar os grãos nas covas.

Não verás enrolar negros pacotes
das secas folhas do cheiroso fumo;[3]
nem espremer entre as dentadas rodas
da doce cana o sumo.

Verás em cima da espaçosa mesa[4]
altos volumes de enredados feitos;
ver-me-ás folhear os grandes livros,
e decidir os pleitos.[5]

Enquanto revolver os meus consultos,
tu me farás gostosa companhia,
lendo os fastos da sábia, mestra História,
e os cantos da poesia.

se como um dos seus mais típicos representantes." (Ver bibliografia, p. 96.)

2. O hábito da queimada, ainda hoje comum no Brasil.

3. O cultivo do fumo, atividade agrícola de Vila Rica, àquela época.

4. A mulher no lar, no interior da casa, segundo a concepção vigente naquele século.

5. Referência autobiográfica à atividade da magistratura, exercida pelo poeta.

Lerás em alta voz, a imagem bela;
eu, vendo que lhe dás o justo apreço,
gostoso tornarei a ler de novo
o cansado processo.

Se encontrares louvada uma beleza,
Marília, não lhe invejes a ventura,
que tens quem leve à mais remota idade [6]
a tua formosura.

DIRCEU DE MARÍLIA

RETRATOS DO AMADO:

EU SOU, GENTIL MARÍLIA, EU SOU CATIVO *

Eu sou, gentil Marília, eu sou cativo; [1]
porém não me venceu a mão armada

6. Promete-lhe, como na lira "Minha Marília, se tens beleza", a *duração:*
"Os versos beija,
gentil pastora,
a pena adora,
respeita a mão,
a mão discreta,
que te segura
a duração."

* Lira 29 na numeração de Lapa.

1. Apesar de ser uma lira atribuída à I Parte, e de nela se tracejar o retrato da amada, Gonzaga aqui desenha também

de ferro e de furor;
uma alma sobre todas elevada
não cede a outra força que não seja
à tenra mão de Amor

Arrastem pois os outros muito embora
cadeias, nas bigornas trabalhadas
com pesados martelos;
eu tenho as minhas mãos ao carro atadas
com duros ferros não, com fios d'ouro,
que são os teus cabelos.

Oculto nos teus meigos, vivos olhos,
Cupido a tudo faz tirana guerra,
sacode a seta ardente;
e sendo despedida cá da terra,
as nuvens rompe, chega ao alto Empíreo,
e chega ainda quente.

As abelhas, nas asas suspendidas,
tiram, Marília, os sucos saborosos

o perfil — psicológico — do pastor Dirceu. As liras enfeixadas sob o título *Retratos do amado* visam a favorecer ao leitor o traçado de um paralelo entre a forma pela qual amada e amado são diferentemente captados pelo poeta. Ele, analisado em sua interioridade, figura heróica, mente que arquiteta mundos de utopia e liberdade. Ela, figura pudica, envolta na timidez a que a obriga a sua condição feminina, destinada ao lar, a esperá-lo, a ser bela e boa companheira.

das orvalhadas flores:
pendentes dos teus beiços graciosos,
ambrósias chupam, chupam mil feitiços
nunca fartos Amores.

O vento, quando parte em largas fitas
as folhas, que meneia com brandura;
a fonte cristalina,
que sobre as pedras cai de imensa altura,
não forma um som tão doce, como forma
a tua voz divina.

Em torno dos teus peitos, que palpitam,
exalam mil suspiros desvelados
enxames de desejos;
se encontram os teus olhos descuidados,
por mais que se atropelem, voam, chegam,
e dão furtivos beijos.

O cisne, quando corta o manso lago,
erguendo as brancas asas e o pescoço;
a nau, que ao longe passa,
quando o vento lhe infuna o pano grosso,
o teu garbo não tem, minha Marília,
não tem a tua graça.

Estimem pois os mais a liberdade;
eu prezo o cativeiro,[2] sim, nem chamo

2. A concepção do amor como cativeiro voluntário, expressa ao longo da lira, modula-se, nos demais textos, à concepção

à mão de Amor impia;
honro a virtude e os teus dotes amo:
também o grande Aquiles veste a saia,
também Alcides fia.

ALEXANDRE, MARÍLIA, QUAL O RIO *

Alexandre, Marília, qual o rio,
que engrossando no inverno tudo arrasa,
na frente das coortes
cerca, vence, abrasa
as cidades mais fortes.

do amor como alento companheiro, como vida a dois repartida na mediania, como única possibilidade de se superar o desgaste do tempo, numa gama de enfoques bastante ampla.

* Lira 45 na numeração de Lapa, que considera: "Esta poesia, além do acabado da forma, é significativa da tendência civilista de Gonzaga, que desadorava o poder militar. A concepção pejorativa do herói, do rei armado, tem as suas raízes no filosofismo do século XVIII e é particularmente voltairiana. Recorda-se a fórmula célebre: *Le premier qui fut roi, fut un soldat heureux.* Aliás, já no *Direito Natural* cita Bodino e a sua opinião de que o apetite e a violência tinham sido a origem dos Impérios (Parte II, cap. 5, § 7). É evidente que a atmosfera mais livre do Novo Mundo abriu o espírito de Gonzaga às novas concepções da liberdade política. O filosofismo estava largamente representado nas livrarias dos Inconfidentes, e o amigo Alvarenga Peixoto possuía uma edição de Voltaire, em sete tomos." (Ver bibliografia, p. 80.)

Foi na glória das armas o primeiro;
morreu na flor dos anos, e já tinha
vencido o mundo inteiro.

Mas este bom soldado, cujo nome
não há poder algum que não abata,
foi, Marília, somente
um ditoso pirata,
um salteador valente.
Se não tem uma fama baixa e escura,
foi por se pôr ao lado da injustiça
a insolente ventura.

O grande César, cujo nome voa,
à sua mesma Pátria a fé quebranta;
na mão a espada toma,
oprime-lhe a garganta,
dá senhores a Roma.
Consegue ser herói [1] por um delito;
se acaso não vencesse, então seria
um vil traidor proscrito.

1. Destaque-se a concepção de herói exposta por Gonzaga. Sobre o assunto, há interessantes observações no estudo de Fernando Cristóvão, indicado na bibliografia sobre o autor. Herói para Dirceu, é o varão piedoso, avesso às atitudes guerreiras. Está presente, nesta concepção, o mesmo ideal de mediania, de homem pacificado pela ambição do lar feliz, "apoucado mas contente", já expresso em outras liras. (Cf. no julgamento crítico o fragmento citado de Fernando Cristóvão, que examina o heroísmo em Gonzaga, nas liras.)

O ser herói, Marília, não consiste
em queimar os impérios: move a guerra,
espalha o sangue humano,
e despovoa a terra
também o mau tirano.
Consiste o ser herói em viver justo:
e tanto pode ser herói e pobre,
como o maior Augusto.

Eu é que sou herói,[2] Marília bela,
seguindo da virtude a honrosa estrada:
ganhei, ganhei um trono,
ah! não manchei a espada,
não o roubei ao dono!
Ergui-o no teu peito e nos teus braços;
e valem muito mais que o mundo inteiro
uns tão ditosos laços.

Aos bárbaros, injustos vencedores
atormentam remorsos e cuidados;
nem descansam seguros
nos palácios, cercados
de tropa e de altos muros.
E a quantos nos não mostra a sábia História,
a quem mudou o fado em negro opróbrio
a mal ganhada glória!

2. Partindo dos vultos históricos, Dirceu chega a si mesmo, numa atitude nada modesta, é verdade, de enaltecimento moral.

Eu vivo, minha bela, sim, eu vivo
nos braços do descanso e mais do gosto
quando estou acordado,
contemplo no teu rosto,
de graças adornado;
se durmo, logo sonho e ali te vejo.
Ah! nem desperto nem dormindo, sobe
a mais o meu desejo!

JÁ NÃO CINJO DE LOIRO A MINHA TESTA *

Já não cinjo de loiro a minha testa,
nem sonoras canções o deus me inspira.
Ah! que nem me resta
uma já quebrada,
mal sonora lira!

* Lira 57 na numeração de Lapa, segundo o qual esta seria a primeira composição do prisioneiro, encerrado na Fortaleza da Ilha das Cobras, no Rio de Janeiro, em 1789. Não há, todavia, documentação que o comprove. As "suposições" biográficas acabaram por traçar, para a obra de Gonzaga, um sentido prévio que muitas vezes a empobrece. Sobre esta questão, ler o que desenvolvemos na primeira parte de nosso *Estudo crítico,* neste mesmo volume.

Mas neste mesmo estado [1] em que me vejo,
pede, Marília, Amor que vá cantar-te:
cumpro o seu desejo;
e ao que resta supra
a paixão e a arte.

A fumaça, Marília, da candeia,
que a molhada parede ou suja ou pinta,
bem que tosca e feia,
agora me pode
ministrar a tinta.

Aos mais preparos o discurso apronta:
ele me diz que faça no pé de uma
má laranja ponta,
e dele me sirva
em lugar de pluma.

Perder as úteis horas não, não devo;
verás, Marília, uma idéia nova:
sim, eu já te escrevo
do que esta alma dita,
quanto amor aprova.

1. Diferentemente dos retratos da amada, quase que só físicos, Dirceu se retrata internamente, numa análise psicológica em que se destacam seus dotes morais, sua nostalgia da liberdade, seu amor por Marília, sua crença no poder do discurso como imortalização do homem e de seus feitos.

Quem vive no regaço da ventura
nada obra em te adorar, que assombro faça,
mostra mais ternura
quem te estima, e morre
nas mãos da desgraça

Nesta cruel masmorra tenebrosa [2]
ainda vendo estou teus olhos belos,
a testa formosa,
os dentes nevados,
os negros cabelos.

Vejo, Marília, sim; e vejo ainda
a chusma dos Cupidos, que, pendentes
dessa boca linda,
nos ares espalham
suspiros ardentes.

Se alguém me perguntar onde eu te vejo,
responderei: *No peito,* que uns Amores
de casto desejo
aqui te pintaram,
e são bons pintores.

2. O "sítio ameno" das liras em que retrata a amada é agora substituído pela "triste masmorra".

Mal meus olhos te viram, ah! nessa hora
teu retrato [3] fizeram, e tão forte,
que entendo que agora
só pode apagá-lo
o pulso da morte.

Isto escrevia, quando, oh! céus, que vejo!
Descubro a ler-me os versos o deus loiro:
Ah! dá-lhes um beijo,
e diz-me que valem
mais que letras de oiro!

ESPREMA A VIL CALÚNIA, MUITO EMBORA *

Esprema a vil [1] calúnia, muito embora,
entre as mãos denegridas e insolentes,

3. A referência ao retrato da amada é, agora, pretexto, pano de fundo, pois o que se destaca é o clima de ameaça a que está submetido o pastor.

* Lira 58 na numeração de Lapa.

1. Supõe Rodrigues Lapa ser esta lira uma alusão às perseguições movidas contra Gonzaga pelos ricaços de Vila Rica, que se estariam aproveitando, por ter ele caído em desgraça. Como em várias outras liras na qual Dirceu é cantor de si mesmo, a pretexto de falar de Marília, esta lira poderia ser arrolada entre aquelas nas quais parece tramar-se uma defesa, possivelmente contra as acusações de Inconfidente

os venenos das plantas
e das bravas serpentes;

Chovam raios e raios, no meu rosto
não hás de ver, Marília, o medo escrito,
e medo perturbado,
que infunde o vil delito.

Podem muito, conheço, podem muito,
as Fúrias [2] infernais, que Pluto [3] move;
mas pode mais que todas
um dedo só de Jove. [4]

Este deus converteu em flor mimosa,
a quem seu nome deram, a Narciso; [5]
fez de muitos os astros,
qu'inda no céu diviso.

2. Fúrias ou Erínias são divindades nascidas do sangue de Urano, que, segundo a *Teogonia* de Hesíodo, teria sido atacado por seu filho Cronos, numa rebelião das divindades. Eram três: Megera, Tisífon e Alecton.

3. Pluto era concebido, na *Teogonia* de Hesíodo, como filho de Deméter e Iásion. Também conhecido como o rei dos Infernos.

4. Jove, deus supremo, já referido em liras anteriores e já aqui comentado.

5. Narciso, na mitologia grega, era filho do deus-rio Cefis ou Cefiso e de uma ninfa. Tendo sempre desprezado as ninfas dele enamoradas, conta a lenda que Nêmesis urdiu contra ele

Ele pode livrar-me das injúrias
do néscio, do atrevido, ingrato povo; [6]
em nova flor mudar-me,
mudar-me em astro novo.

Porém se os justos céus, por fins ocultos,
em tão tirano mal me não socorrem,
verás então que os sábios,
bem como vivem, morrem.

Eu tenho um coração maior que o mundo, [7]
tu, formosa Marília, bem o sabes:
um coração, e basta,
onde tu mesma cabes.

uma vingança, fazendo apaixonar-se por sua própria imagem espelhada nas águas do rio, lugar onde permaneceu até morrer. Da lenda, interpretada pela psicanálise, foi cunhado o termo *narcisismo,* que consistiria, em termos muito simplificados, na incapacidade tanto de abstrair-se de sua própria imagem quanto na de criar em si o espaço para a comunicação com um outro ser.

6. Mostra-se o poeta magoado e rancoroso, em face das "vis calúnias".

7. Um dos mais belos versos de Gonzaga, que nele resume, mais uma vez, sua visão do amor como amparo, guarida imune às intempéries do mundo, numa exaltação amorosa que o aproxima do subjetivismo dos românticos. Drummond, em sua belíssima lírica, retoma este verso, e o retrabalha, em três níveis (segundo análise de Afonso Romano de Sant'Anna, em: *Drummond, o gauche no tempo.* Rio de Janeiro, Lia/INL,

VOU-ME, Ó BELA, DEITAR NA DURA CAMA *

Vou-me, ó bela, deitar na dura cama,
de que nem sequer sou o pobre dono;
estende sobre mim Morfeu [1] as asas,
e vem ligeiro o sono.

Os sonhos, que rodeiam a tarimba,[2]
mil cousas vão pintar na minha idéia;

1972, p. 18), o que pode ser visto nos poemas: "Poema de Sete Faces": "Mundo, mundo, vasto mundo/mais vasto é meu coração"; no poema "Mundo grande": "Não, meu coração não é maior que o mundo/é muito menor"; e no poema "Caso do Vestido": "O mundo é grande e pequeno."

* Lira 60 na numeração de Lapa, que sobre ela nos diz: "(...) apareceu pela primeira vez na edição de 1802. É uma das mais formosas liras de Gonzaga e tem dado que fazer aos comentadores. Pouco antes de casar, o poeta andava a bordar um vestido para a noiva. Alberto Faria considerava isto uma fantasia contrariamente ao que o próprio poeta declara na lira 77, v. 41-42. Está provado que era moda galante do tempo." (...) "Um dos costumes elegantes da classe nobre de Vila Rica, o qual chegou até a Independência, era a obrigação imposta ao noivo de bordar o vestido nupcial da que ia ser sua esposa..."

1. Filho de Hipno, era o deus dos sonhos e do sono, na mitologia grega.

2. Cama.

não pintam cadafalsos,[3] não, não pintam
nem uma imagem feia.

Pintam que estou bordando um teu vestido;[4]
que um menino com asas, cego e loiro,
me enfia nas agulhas o delgado,
o brando fio de oiro.

Pintam que entrando vou na grande igreja;
pintam que as mãos nos damos, e aqui vejo
subir-te à branca face a cor mimosa,
a viva cor do pejo.

Pintam que nos conduz doirada sege[5]
à nossa habitação; que mil Amores
desfolham sobre o leito as moles folhas
das mais cheirosas flores.

Pintam que dessa terra nos partimos;
que os amigos, saudosos e suspensos,
apertam nos inchados, roxos olhos
os já molhados lenços.

Pintam que os mares sulco da Bahia,
onde passei a flor da minha idade;[6]

3. Forcas.

4. Ver comentário de Lapa, onde se explica a referência.

5. Coche com duas rodas e um só assento, fechado e com cortinas na parte dianteira.

6. Referência autobiográfica ao período em que o poeta viveu na Bahia, dos oito aos dezessete anos.

que descubro as palmeiras, e em dois bairros
    partida a grã cidade.

Pintam leve escaler, e que na prancha
o braço já te of'reço, reverente;
que te aponta co dedo, mal te avista,
    amontoada gente.[7]

Aqui, *alerta!* grita o mau soldado;
e o outro *alerta estou!* lhe diz gritando.
Acordo com a bulha... Então conheço
    que estava aqui sonhando.

Se o meu crime não fosse só de amores,
a ver-me delinqüente, réu de morte,
não sonhara, Marília, só contigo
    sonhara de outra sorte.

JÁ, JÁ ME VAI, MARÍLIA, BRANQUEJANDO *

Já, já me vai, Marília, branquejando[1]
loiro cabelo, que circula a testa;

7. A estrofe oito não consta na edição de 1802, tendo aparecido na edição Lacerdina de 1811, segundo informa Rodrigues Lapa.

* Lira 66 na numeração de Lapa.

1. Diferentemente dos retratos da amada, aqui o pastor se apresenta sob um cruel e bem humorado realismo: fala de

este mesmo, que alveja, vai caindo,
e pouco já me resta.

As faces vão perdendo as vivas cores,
e vão-se sobre os ossos enrugando,
vai fugindo a viveza dos meus olhos;
tudo se vai mudando.

Se quero levantar-me, as costas vergam;
as forças dos meus membros já se gastam;
vou a dar pela casa uns curtos passos,
pesam-me os pés e arrastam.

Se algum dia me vires desta sorte,
vê que assim me não pôs a mão dos anos;
os trabalhos, Marília, os sentimentos
fazem os mesmos danos.

Mal te vir, me dará em poucos dias
a minha mocidade o doce gosto;
verás brunir-se[2] a pele, o corpo encher-se,
voltar a cor ao rosto.

sua calvície, das rugas que chegam, da postura que perde a elegância, todos efeitos do implacável *tempo*, mas apresentados pelo poeta (*vide* versos 13 a 16) como decorrência do sofrimento interior.

2. Tornar moreno.

No calmoso verão as plantas secam;
na primavera, que aos mortais encanta,
apenas cai do céu o fresco orvalho,
verdeja logo a planta.

A doença deforma a quem padece;
mas logo que a doença fez seu termo,
torna, Marília, a ser quem era d'antes
o definhado enfermo.

Supõe-me qual doente, ou qual a planta,
no meio da desgraça que me altera:
eu também te suponho qual saúde,
ou qual a primavera.

Se dão esses teus meigos, vivos olhos
aos mesmos astros luz e vida às flores,
que efeitos não farão em quem por eles
sempre morreu de amores?

EU VOU, MARÍLIA, VOU BRIGAR CO'AS FERAS! *

Eu vou, Marília, vou brigar co'as feras! [1]
Uma soltaram, eu lhe sinto os passos;

* Lira 86 na numeração de Lapa.

1. A demonstrar a oscilação psíquica do pastor Dirceu, vemo-lo agora abandonar o desalento e a melancolia da prisão e

aqui, aqui a espero
nestes despidos braços.
É um malhado tigre; a mim já corre,
ao peito o aperto, estalam-lhe as costelas,
desfalece, cai, urra, treme e morre.

Vem agora um leão: sacode a grenha,
com faminta paixão a mim se lança;
venha embora, que o pulso
ainda não se cansa.
Oprimo-lhe a garganta, a língua estira,
o corpo lhe fraqueia, os olhos incham,
açoita o chão, convulso, arqueja e expira.

Mas que vejo, Marília? Tu te assustas?
Entendes que os destinos, inumanos,
expõem a minha vida
no cerco dos romanos?
Com ursos e com onças eu não luto:
luto co bravo monstro que me acusa,
que os tigres e leões mais fero e bruto.

Embora contra mim, raivoso, esgrima
da vil calúnia a cortadora espada,
uma alma, qual eu tenho,
não se receia a nada.

mostrar o traço heróico, a grandiloqüência de sua força vital, que dele faz um homem capaz de brigar com as feras, qual um Hércules, até alçar-se à equiparação com os deuses, no v. 35.

Eu hei de, sim, punir-lhe a insolência,
pisar-lhe o negro colo, abrir-lhe o peito
co'as armas invencíveis da inocência.

Ah! quando imaginar (que vingativo
mando!) que desça ao Tártaro[2] profundo,
hei de com mão honrada
erguer-lhe o corpo imundo.
Eu então lhe direi: — Infame, indino,[3]
obras como costuma o vil humano;
faço o que faz um coração divino.

NUMA TRISTE MASMORRA:

AH! MARÍLIA, QUE TORMENTO *

Ah! Marília, que tormento
não tens de sentir, saudosa!
Não podem ver os teus olhos

2. Na *Teogonia* de Hesíodo, o rio Tártaro é personificado, constituindo, juntamente com Caos e Géia, a Terra, um dos elementos primordiais do mundo. Era o lugar dos grandes suplícios e castigo dos deuses caídos em desgraça. Na obra de Homero (autor da *Ilíada* e da *Odisséia*) aparece como a região inferior do mundo, logo acima dos Infernos.

3. Indigno.

* Lira 74 na numeração de Lapa.

a campina deleitosa,[1]
nem a tua mesma aldeia,
que, tiranos, não proponham
à inda inquieta idéia
uma imagem de aflição.
Mandarás aos surdos deuses
novos suspiros em vão.

Quando levares, Marília,
teu ledo rebanho ao prado,
tu dirás: — Aqui trazia
Dirceu também o seu gado.
Verás os sítios ditosos
onde, Marília, te dava
doces beijos amorosos
nos dedos da branca mão.
Mandarás aos surdos deuses
novos suspiros em vão.

Quando à janela saíres,
sem quereres, descuidada,
tu verás, Marília, a minha
e minha pobre namorada.
Tu dirás então contigo:

1. A imagem da aflição muda a paisagem do idílio, antes indicada como *locus amoenus,* em que se reuniam dois pastores enamorados, agora transformada num lugar de reclusão: a masmorra.

— Ali Dirceu esperava
para me levar consigo;
e ali sofreu a prisão.
    Mandarás aos surdos deuses
    novos suspiros em vão.

Quando vires igualmente
do caro Glauceste [2] a choça,
onde alegres se juntavam
os poucos da escolha nossa,
pondo os olhos na varanda
tu dirás, de mágoa cheia:
— Todo o congresso[3] ali anda,
só o meu amado não.
    Mandarás aos surdos deuses
    novos suspiros em vão.

Quando passar pela rua
o meu companheiro honrado,

2. Nome árcade de Cláudio Manuel da Costa.

3. Segundo Rodrigues Lapa, esta referência poderia ser assim explicada (ver Lapa, bibliografia, p. 132): "Gonzaga insiste na idéia de julgar que os seus amigos de Vila Rica andavam sossegados, levando a vida habitual, como se nada tivesse sucedido. Atitude que nos parece dissimulada, e que serviria habilmente para a sua defesa. O prisioneiro teria o cuidado de fazer chegar as liras à censura das autoridades, que consentiriam em que os desabafos poéticos chegassem a Marília. Que a incomunicabilidade não era absoluta vê-se pelo fato de ele próprio confessar (n.º 93) que recebia cartas da noiva."

sem que me vejas com ele
caminhar emparelhado,
tu dirás: — Não foi tirana
somente comigo a sorte;
também cortou, desumana,
a mais fiel união.
    Mandarás aos surdos deuses
    novos suspiros em vão.

Numa masmorra metido,
eu não vejo imagens destas,
imagens, que são por certo
a quem adora funestas.
Mas se existem, separadas
dos inchados, roxos olhos,
estão, que é mais, retratadas
no fundo do coração.
    Também mando aos surdos deuses
    tristes suspiros em vão.

NESTA TRISTE MASMORRA *

    Nesta triste masmorra, [1]
de um semivivo corpo sepultura,

* Lira 81 na numeração de Lapa.

1. A ambiência física dilui-se, aos poucos, na construção do perfil psicológico do amado, prisioneiro, em sua mágoa e

inda, Marília, adoro
a tua formosura.
Amor na minha idéia te retrata;
busca, extremoso, que eu assim resista
à dor imensa, que me cerca e mata.

Quando em meu mal pondero,
então mais vivamente te diviso:
vejo o teu rosto e escuto
a tua voz e riso.
Movo ligeiro para o vulto os passos;
eu beijo a tíbia luz em vez de face,
e aperto sobre o peito em vão os braços.

Conheço a ilusão minha;
a violência da mágoa não suporto;
foge-me a vista e caio,
não sei se vivo ou morto.
Enternece-se Amor de estrago tanto;
reclina-me no peito, e, com mão terna,
me limpa os olhos do salgado pranto.

Depois que represento
por largo espaço a imagem de um defunto,
movo os membros, suspiro,
e onde estou pergunto.

abatimento. Na expressão "semivivo corpo sepultura" está sintetizado o drama das liras da prisão, em que o elemento material, corpo-vida, encerra seu contrário: sepultura-morte.

Conheço então que Amor me tem consigo;
ergo a cabeça, que inda mal sustento,
e com doente voz assim lhe digo:

— Se queres ser piedoso,
procura o sítio em que Marília mora,
pinta-lhe o meu estrago,
e vê, Amor, se chora.
Se a lágrimas verter a dor a arrasta,
uma delas me traze sobre as penas,
e para alívio meu só isto basta.

SE ME VISSES COM TEUS OLHOS *

Se me visses com teus olhos
nesta masmorra metido,
de mil idéias funestas
e cuidados combatido,
qual seria, ó minha bela,
qual seria o teu pesar!

À força da dor cedera,
e nem estaria vivo,
se o menino deus vendado,
extremoso e compassivo,

* Lira 82 na numeração de Lapa.

com o nome de Marília
não me viesse animar.

Deixo a cama ao romper d'alva;
o meio-dia tem dado,
e o cabelo inda flutua
pelas costas desgrenhado.
Não tenho valor, não tenho,
nem para de mim cuidar.

Diz-me Cupido: — E Marília
não estima esse cabelo?
Se o deixas perder de todo,
não se há de enfadar ao vê-lo?
Suspiro, pego no pente,
vou logo o cabelo atar.

Vem um tabuleiro entrando
de vários manjares cheio;
põe-se na mesa a toalha,
e eu pensativo passeio;
de todo o comer esfria,
sem nele poder tocar.

— Eu entendo que matar-te —
diz Amor — te tens proposto.
Fazes bem: terá Marília
desgosto sobre desgosto.

Qual enfermo co remédio, [1]
me aflijo, mas vou jantar.

Chegam as horas, Marília,
em que o sol já se tem posto;
vem-me à memória que nelas
via à janela o teu rosto:
reclino na mão a face,
e entro de novo a chorar.

Diz-me Cupido: — Já basta,
já basta, Dirceu, de pranto;
em obséquio de Marília
vai erguer teu doce canto.
Pendem as fontes dos olhos,
mas eu sempre vou cantar.

Vem o forçado [2] acender-me
a velha, suja candeia:
fica, Marília, a masmorra
ainda mais triste e feia.
Nem mais canto, nem mais posso
uma só palavra dar.

1. Apesar do lamento, esta lira assume um caráter descritivo-realista, e, a supor que fosse verdade, sem dúvida estaria o prisioneiro bem tratado. Mas, sem liberdade, adoecido de prisão, só mesmo em louvor de Marília consegue alimentar-se. Enfim, a louvação galante encarna-se aqui, mais uma vez.
2. Condenado a trabalhos forçados.

Diz-me Cupido: — São horas
de escrever-se o que está feito.
Do azeite e da fumaça
uma nova tinta ajeito;
tomo o pau, que pena finge,
vou as liras copiar.

Sem que chegue o leve sono,
canta o galo a vez terceira;
eu digo ao Amor que fico
sem deitar-me a noite inteira;
faço mimos e promessas
para ele me acompanhar.

Ele diz que em dormir cuide,
que hei de ver Marília em sonho;
não respondo uma palavra;
a dura cama componho,
apago a triste candeia,
e vou-me logo deitar.

Como pode a tais cuidados
resistir, ó minha bela,
quem não tem de Amor a graça,
se eu, que vivo à sombra dela,
inda vivo desta sorte,
sempre triste a suspirar?

QUE DIVERSAS QUE SÃO, MARÍLIA, AS HORAS *

Que diversas que são, Marília, as horas, [1]
que passo na masmorra imunda e feia,
dessas horas felizes, já passadas
na tua pátria aldeia!

Então eu me ajuntava com Glauceste;
e à sombra de alto cedro na campina
eu versos te compunha, e ele os compunha
à sua cara Eulina. [2]

Cada qual o seu canto aos astros leva;
de exceder um ao outro qualquer trata;
o eco agora diz: *Marília terna;*
e logo: *Eulina ingrata.*

Deixam os mesmos sátiros [3] as grutas:
um para nós ligeiro move os passos,

* Lira 83 na numeração de Lapa.

1. Continua o poeta a reiterar a oposição ao *locus amoenus* de antes, agora transmudado em lugar soturno onde se encerra o pastor prisioneiro.

2. Pastora que aparece como musa de Glauceste (pseudônimo árcade de Cláudio Manuel da Costa).

3. Semideus que habitava as florestas, tinha chifres curtos, pés e pernas de bode.

ouve-nos de mais perto, e faz a flauta
    cos pés em mil pedaços.

— Dirceu — clama um pastor — ah! bem merece
da cândida Marília a formosura.
— E aonde — clama o outro — quer Eulina
    achar maior ventura?

Nenhum pastor cuidava do rebanho,
enquanto em nós durava esta porfia;
e ela, ó minha amada, só findava
    depois de acabar-se o dia.

À noite te escrevia na cabana
os versos, que de tarde havia feito;
mal tos dava e os lias, os guardavas
    no casto e branco peito.

Beijando os dedos dessa mão formosa,
banhados com as lágrimas do gosto,
jurava não cantar mais outras graças
    que as graças do teu rosto.

Ainda não quebrei o juramento;
eu agora, Marília, não as canto;
mas inda vale mais que os doces versos
    a voz do triste pranto.

EU, MARÍLIA, NÃO FUI NENHUM VAQUEIRO *

Eu, Marília, não fui nenhum vaqueiro, [1]
fui honrado pastor da tua aldeia;
vestia finas lãs e tinha sempre
a minha choça do preciso cheia.
Tiraram-me o casal e o manso gado,
nem tenho a que me encoste um só cajado.

Para ter que te dar, é que eu queria
de mor rebanho ainda ser o dono;
prezava o teu semblante, os teus cabelos
ainda muito mais que um grande trono.
Agora que te oferte já não vejo,
além de um puro amor, de um são desejo.

Se o rio levantado me causava,
levando a sementeira, prejuízo,
eu alegre ficava, apenas via

* Lira 77 na numeração de Lapa.

1. Esta lira é versão de outra, que já arrolamos sob o título de liras dos *Caminhos do amor*, uma vez que o poeta oferecia a Marília seus dotes de esposo. Esta outra versão, cotejada com a anteriormente citada nesta antologia, em tudo lhe é comparável, por oposição. Na primeira, era pastor provido do necessário; nesta, perdeu o que tinha. O que permanece é o anseio da mediania, da *aurea mediocritas,* como se vê principalmente a partir do v. 31 até o final.

na tua breve boca um ar de riso.
Tudo agora perdi; nem tenho o gosto
de ver-te ao menos compassivo o rosto.

Propunha-me dormir no teu regaço
as quentes horas da comprida sesta,
escrever teus louvores nos olmeiros,
toucar-te de papoilas na floresta.
Julgou o justo céu que não convinha
que a tanto grau subisse a glória minha.

Ah minha bela, se a fortuna volta,
se o bem, que já perdi, alcanço e provo,
por essas brancas mãos, por essas faces
te juro renascer um homem novo,
romper a nuvem que os meus olhos cerra,
amar no céu a Jove e a ti na terra!

Fiadas comprarei as ovelhinhas,
que pagarei dos poucos do meu ganho;
e dentro em pouco tempo nos veremos
senhores outra vez de um bom rebanho.
para o contágio lhe não dar, sobeja
que as afague Marília, ou só que as veja.

Se não tivermos lãs e peles finas,
podem mui bem cobrir as carnes nossas
as peles dos cordeiros mal curtidas,
e os panos feitos com as lãs mais grossas.

Mas ao menos será o teu vestido
por mãos de amor, por minhas mãos cosido.[2]

Nós iremos pescar na quente sesta
com canas e com cestos os peixinhos;
nós iremos caçar nas manhãs frias
com a vara envisgada os passarinhos.
Para nos divertir faremos quanto
reputa o varão sábio, honesto e santo.

Nas noites de serão nos sentaremos
cos filhos, se os tivermos, à fogueira:
entre as falsas histórias, que contares,
lhes contarás a minha, verdadeira.
Pasmados te ouvirão; eu, entretanto,
ainda o rosto banharei de pranto.

Quando passarmos juntos pela rua,
nos mostrarão co dedo os mais pastores,
dizendo uns para os outros: — Olha os nossos
exemplos da desgraça e são amores.
Contentes viveremos desta sorte,
até que chegue a um dos dois a morte.

2. Esta referência, já por nós comentada em outra lira, também aparece — e o indicamos para cotejo — na lira "Vou-me, ó bela, deitar na dura cama", enfeixada, nesta antologia, no grupo de liras intitulado *Retratos do amado.*

CAMINHOS DA LIBERDADE:

MORRI, Ó MINHA BELA *

Morri, [1] ó minha bela:
não foi a Parca [2] impia,
que na tremenda roca, [3]
sem ter descanso, fia;
não foi, digo, não foi a morte feia
quem o ferro moveu e abriu no peito
a palpitante veia.

Eu, Marília, respiro;
Mas o mal, que suporto,

* Lira 59 na numeração de Lapa, que observa não ter este texto constado do ms. da Mesa Censória (Parte II). Apareceu pela primeira vez na edição Nunesiana de 1802, com o n.º 33.

1. As liras arroladas sob o título *Caminhos da liberdade* são verdadeiras liras de *defesa,* peças escritas pelo pastor prisioneiro para atestar sua inocência. Embora os temas do amor, do retrato, do cenário amoroso aqui apareçam, nelas sobressai um núcleo temático: a busca da liberdade.

2. Deusas implacáveis, carrascos enviados pelas moiras (o destino), principalmente às cenas de violência das batalhas. Também denominadas *Queres.* São figuras da mitologia grega. Personificam também o destino individual do ser humano.

3. Dentre as Parcas, *Cloto* presidia os nascimentos e mantinha a roca; *Laquésis* girava o fuso, e *Átropos* cortava o fio. Unificadas, personificam o destino, sob a idéia de *tecerem* os fios da vida.

é tão tirano e forte
que já me dou por morto:
a insolente calúnia depravada
ergueu-se contra mim, vibrou da língua
a venenosa espada.

Inda, ó bela, não vejo
cadafalso enlutado,
nem de torpe verdugo
braço de ferro armado;
mas vivo neste mundo, — ó sorte impia! —
e dele só me mostra a estreita fresta
o quando é noite, ou dia.

Olhos baços, sumidos,
macilento, escarnado,
barba crescida e hirsuta,
cabelo desgrenhado;
ah! que imagem tão digna de piedade!
mas é, minha Marília, como vive
um réu de Majestade.

Venha o processo, [4] venha,
na inocência me fundo;

4. A presença da nota autobiográfica avulta nesta lira: a referência ao processo e, nos v. 41-42, o elogio ao trono português, que o poeta envia através dos lábios de Marília, induzida a defendê-lo.

mas não morreram outros,
que davam honra ao mundo?
O tormento, minha alma, não recuses:
a quem, sábio, cumpriu as leis sagradas
servem de sólio as cruzes.

Tu, Marília, se ouvires,
que ante o teu rosto aflito
o meu nome se ultraja
co suposto delito,
dize, severa, assim em meu abono:
— Não toma as armas contra um cetro justo
alma digna de um trono.

NÃO HÁS DE TER HORROR, MINHA MARÍLIA *

Não hás de ter horror, minha Marília,
de tocar pulso que sofreu os ferros:
infames impostores mos lançaram,
e não puníveis erros.

Esta mão, esta mão, que ré parece,
ah! não foi uma vez, não foi só uma,
que em defesa dos bens, que são do Estado,
moveu a sábia pluma.

* Lira 62 na numeração de Lapa.

É certo, minha amada, sim, é certo
qu'eu aspirava a ser de um reino o dono;
mas este grande império, que eu firmava,
tinha em teu peito o trono.

As forças, que se opunham, não batiam
de grossa peça, de mosquete [1] os tiros;
só eram minhas armas os soluços,
os rogos e os suspiros.

De cuidados, desvelos e finezas
formava, ó minha bela, os meus guerreiros;
não tinha no meu campo estranhas tropas,
que amor não quer parceiros.

Mas pode ainda vir um claro dia
em que estas vis algemas, estes laços
se mudem em prisões, de alívio cheias,
nos teus mimosos braços.

Vaidoso então direi: — Eu sou monarca;
dou leis, que é mais, num coração divino.
Sólio [2] que ergueu o gosto e não a força
é que é de apreço dino. [3]

1. Arma antiga.
2. Assento real, trono.
3. Digno.

EU VEJO AQUELA DEUSA *

Eu vejo aquela deusa, [1]
Astréia [2] pelos sábios nomeada;
traz nos olhos a venda,
balança numa mão, na outra espada.
O vê-la não me causa um leve abalo,
mas antes, atrevido,
eu a vou procurar e assim lhe falo:

— Qual é o povo, dize,
que comigo concorre no atentado?
Americano povo?
O povo mais fiel e mais honrado:
tira as praças das mãos do injusto dono,
ele mesmo as submete
de novo à sujeição do luso trono!

* Lira 64 na numeração de Lapa.

1. Lira em que o poeta mais acirradamente parece defender-se das acusações que lhe pesam. Para o crítico Fábio Lucas (ver bibliografia, p. 45), "esta lira tachada por Alberto Faria *crônica processual rimada,* embora escrita em situação desfavorável, na prisão, constitui um desdouro para o poeta, aos olhos dos que consideram a Inconfidência como um acontecimento cívico de relevo". Para o crítico Pedro Lyra (ver bibliografia, p. 30), "É um poema em que o autor, à espera de um julgamento que temia fosse impiedoso, procura defender-se de *todas* as maneiras possíveis."
2. Filha de Zeus e Têmis, a Justiça. Defendia entre os homens o sentimento da justiça e da virtude.

Eu vejo nas histórias
rendido Pernambuco aos holandeses;
eu vejo saqueada
esta ilustre cidade dos franceses;
lá se derrama o sangue brasileiro;
aqui basta, supre
das roubadas famílias o dinheiro.

Enquanto assim falava,
mostrava a deusa não me ouvir com gosto;
punha-me a vista tesa,
enrugava o severo e aceso rosto.
Não suspendo contudo no que digo;
sem o menor receio,
faço que a não entendo e assim prossigo;

— Acabou-se, tirana,
a honra, o zelo deste luso povo?
Não é aquele mesmo,
que estas ações obrou? É outro novo?
E pode haver direito, que te mova
a supor-nos culpados,
quando em nosso favor conspira a prova?

Há em Minas um homem,
ou por seu nascimento ou seu tesoiro,
que aos outros mover possa
à força de respeito, à força d'oiro?
Os bens de quantos julgas rebelados

podem manter na guerra,
por um ano sequer, a cem soldados?

Ama a gente assisada [2]
a honra, a vida, o cabedal tão pouco,
que ponha uma ação destas
nas mãos dum pobre, sem respeito e louco?
E quando a comissão lhe confiasse,
não tinha pobre soma,
que por paga ou esmola mandasse?

Nos limites de Minas,
a quem se convidasse não havia?
Ir-se-iam buscar sócios
na Colônia também, ou na Bahia?
Está voltada a corte brasileira
na terra dos suíços, [3]
onde as potências vão erguer bandeira?

O mesmo autor do insulto
mais a riso do que a terror me move;
deu-lhe nesta loucura,
podia-se fazer Netuno ou Jove.

2. Ponderada, prudente.

3. Informa Alexandre Eulálio (cf. Bibliografia) ser esta uma alusão a uma possível aliança franco-norte-americana de caráter republicano em apoio aos levantados, que repetiria as passadas incursões em território suíço de tropas debaixo de diversas bandeiras.

A prudência é tratá-lo por demente;
ou prendê-lo, ou entregá-lo,
para dele zombar a moça gente.

Aqui, aqui a deusa
um extenso suspiro aos ares solta;
repete outro suspiro,
e, sem palavra, dar, as costas volta.
— Tu te irritas? — lhe digo — e quem te ofende?
Ainda nada ouviste
do que respeita a mim; sossega, atende.

E tinha que ofertar-me
um pequeno, abatido e novo Estado,
com as armas de fora,
com as suas próprias armas consternado?
Achas também que sou tão pouco esperto,
que um bem tão contingente
me obrigasse a perder um bem já certo?

Não sou aquele mesmo,
que a extinção do débito [4] pedia?

4. Segundo Rodrigues Lapa (ver bibliografia, p. 117), a "atitude de Gonzaga, no que se refere à extinção do débito de 700 arrobas de oiro, foi dúbia e sutil. Dizia-se favorável à anulação da dívida de Minas à Metrópole, mas, por outro lado, instigava o Intendente seu amigo, Pires Bandeira, a que requeresse totalmente o imposto de derrama. Alegava ele sutilmente,

Já viste levantado
quem à sombra da paz, alegre, ria?
Um direito arriscado eu busco e feio,
e quero que se evite
toda a razão do insulto e todo o meio?

Não sabes quanto apresso
os vagarosos dias da partida?
Que a fortuna, risonha,
a mais formosos campos me convida?
Não me unira, se os houvesse, aos vis traidores;
daqui nem oiro quero;
quero levar somente os meus amores.

Eu, ó cega, não tenho
um grosso cabedal, dos pais herdado;
não o recebi no emprego,
nem tenho as instruções dum bom soldado.
Far-me-iam os rebeldes o primeiro
no império, que se erguia
à custa do seu sangue e seu dinheiro?

Aqui, aqui, de todo
a deusa se perturba e mais se altera;
morde o seu próprio beiço;
o sítio deixa, nada mais espera.

no processo, que só assim se verificaria a impossibilidade de pagamento e se sentiria a necessidade de sua extinção."

— Ah! vai-te — então lhe digo — vai-te embora;
melhor, minha Marília,
eu gastasse contigo mais esta hora.

NÃO PRAGUEJES, MARÍLIA, NÃO PRAGUEJES *

Não praguejes, Marília, não praguejes
a justiceira mão que lança os ferros;
não traz debalde a vingadora espada;
deve punir os erros.

Virtudes de juiz, virtudes de homem
as mãos se deram e em seu peito moram.
Manda prender ao réu, austera a boca,
porém seus olhos choram.

Se à inocência denigre a vil calúnia,
que culpa aquele tem que aplica a pena?
Não é o julgador, é o processo
e a lei quem nos condena.

Só no Averno os juízes não recebem
acusação nem prova de outro humano;

* Lira 85 na numeração de Lapa. Texto dedicado a Barbacena, por motivos óbvios de defesa, através da persuasão.

aqui todos confessam suas culpas,
não pode haver engano.

Eu vejo as Fúrias [1] afligindo aos tristes:
uma o fogo chega, outra as serpes move;
todos maldizem, sim, a sua estrela,
nenhum acusa a Jove.

Eu também inda adoro ao grande chefe,
bem que a prisão me dá, que eu não mereço.
Qual eu sou, minha bela, não me trata,
trata-me qual pareço.

Quem suspira, Marília, quando pune
ao vassalo, que julga delinqüente,
que gosto não terá, podendo dar-lhe
as honras de inocente?

Tu vences, Barbacena, [2] aos mesmos Titos [3]
nas sãs virtudes, que no peito abrigas:

1. Fúrias, filhas de Aqueronte e Noite, personificam o remorso e a vingança divina, na mitologia latina. Correspondem, na mitologia grega, às Eumênides ou Erínias.
2. Barbacena: Luís Antônio Furtado de Castro de Rio de Mendonça e Faro, 6.º Visconde de Barbacena, Governador-geral da Capitania das Minas Gerais, sucessor de Cunha Meneses.
3. Tito, Imperador romano conhecido por sua clemência.

não honras tão-somente a quem premeias,
honras a quem castigas.

AQUELE A QUEM FEZ CEGO A NATUREZA *

Aquele a quem fez cego a Natureza,
co bordão [1] apalpa e aos que vêm pergunta;
ainda se despenha muitas vèzes,
e dois remédios junta!

De ser cega a Fortuna [2] eu não me queixo,
sim me queixo de que má cega seja:
cega que nem pergunta nem apalpa,
é porque errar deseja.

A quem não tem virtudes, nem talentos,
ela, Marília, faz de um cetro dono;
cria num pobre berço uma alma digna
de se sentar num trono.

A quem gastar não sabe nem se anima
entrega as grossas chaves de um tesoiro;

* Lira 88 na numeração de Lapa.

1. Cajado, vara, bastão.

2. Deusa da boa ou da má sorte, na mitologia latina. A esta deusa foi dedicado um famoso templo, em Ansio, no Lácio, perto da foz do rio Tibre.

e lança na miséria a quem conhece
    para que serve o oiro.

A quem fere, a quem rouba, a infame deixa
que atrás do vício em liberdade corra;
eu honro as leis do Império, ela me oprime
    em esta vil masmorra.

Mas ah! minha Marília, que esta queixa
co'a sólida razão se não coaduna!
Como me queixo da Fortuna tanto,
    se sei não há Fortuna?

Os fados, os destinos, essa deusa,
que os sábios fingem que uma roda move,
é só a oculta mão da Providência,
    a sábia mão de Jove.

Nós é que somos cegos, que não vemos
a que fins nos conduz, por estes modos;
por torcidas estradas, ruins veredas
    caminha ao bem de todos.

Alegre-se o perverso com as ditas,
co seu merecimento o virtuoso;
parecer desgraçado, ó minha bela,
    é muito mais honroso.

ORMIAS, LIDORAS, NISES E ALTÉIAS

ENGANEI-ME, ENGANEI-ME — PACIÊNCIA! *

Enganei-me, enganei-me — paciência! [1]
Acreditei as vozes, cri, Ormia, [2]
que a tua singeleza igualaria
à tua mais que angélica aparência.

Enganei-me, enganei-me — paciência!
Ao menos conheci que não devia
pôr nas mãos de uma externa galhardia
o prazer, o sossego e a inocência.

Enganei-me, cruel, com teu semblante,
e nada me admiro de faltares,
que esse teu sexo nunca foi constante.

* Soneto 2 na numeração de Lapa.

1. O perfil de mulher aqui traçado — angélica apenas na aparência, difere em muito do perfil de Marília, a pastora homenageada nas liras por sua pureza.

2. *Ormia* é uma pastora, que se soma à galeria feminina cantada pelo pastor Dirceu.

Mas tu perdeste mais em me enganares: [3]
que tu não acharás um firme amante,
e eu posso de traidoras ter milhares. [4]

QUANTAS VEZES LIDORA ME DIZIA *

Quantas vezes Lidora[1] me dizia,
ao terno peito minha mão levando:
— Conjurem-se em meu mal os astros, quando
achares no meu peito aleivosia. [2]

Então que não chorasse lhe pedia,
por firme seu amor acreditando.
Ah! que em movendo os olhos, suspirando,
ao mais acautelado enganaria!

3. Jogo de quiasmas (contradições que se entrecruzam): perdeste/acharás; enganares/firme, que lembra muito os recursos da retórica maneirista e barroca. Possivelmente, é uma fase de Tomás muito próxima à influência de Cláudio Manuel da Costa.

4. Diferentemente da mulher pura e do lar, como era vista Marília, Ormia simboliza a inconstância, o mito da mulher serpente, traidora.

* Soneto 5 na numeração de Lapa.

1. *Lidora,* outra das pastoras que integram o elenco feminino das poesias líricas de Tomás.

2. Traição, perfídia, deslealdade.

Um ano assim viveu. Oh! céus, agora
mostrou que era mulher: [3] a natureza,
só por não se mudar, a fez traidora.

Não, não darei mais cultos à beleza,
que, depois de faltar à fé Lidora,
nem creio que nas deusas há firmeza.

EU NÃO SOU, MINHA NISE, PEGUREIRO *

Eu não sou, minha Nise, pegureiro, [1]
que viva de guardar alheio gado;
    nem sou pastor grosseiro,
dos frios gelos e do sol queimado,
que veste as pardas lãs do seu cordeiro.
    Graças, ó Nise bela,
    graças à minha estrela!

3. Outra vez insiste o poeta no mesmo conceito de mulher traidora, inconstante, sustentada no soneto anterior, e discrepante do perfil traçado nos retratos de Marília.

* Lira 11 na numeração de Lapa.

1. Crê Rodrigues Lapa que este seja o esboço de outras duas liras do poeta: "Eu, Marília, não sou algum vaqueiro" e "Eu, Marília, não fui nenhum vaqueiro", ambas transcritas nesta antologia e referidas no estudo crítico. Não cremos que a discussão sobre a cronologia destas liras venha a acrescentar muito à sua interpretação, nem temos como prová-la. No entanto, há lógica na proposta de Lapa. Remetemos o leitor aos nossos comentários, nesta antologia, p. 15.

A Cresso [2] não igualo no tesouro;
mas deu-me a sorte com que honrado viva.
Não cinjo coroa d'ouro;
mas povos mando, e na testa altiva
verdeja a coroa do sagrado louro.
Graças, ó Nise bela,
graças à minha estrela!

Maldito seja aquele, que só trata
de contar, escondido, a vil riqueza,
que, cego, se arrebata
em buscar nos avós a vã nobreza,
com que aos mais homens, seus iguais, abata.
Graças, ó Nise bela,
graças à minha estrela!

As fortunas, que em torno de mim vejo,
por falsos bens, que enganam, não reputo;
mas antes mais desejo:
não para me voltar soberbo em bruto,
por ver-me grande, quando a mão te beijo.
Graças, ó Nise bela,
graças à minha estrela!

2. Cresso — cônsul romano do Senado, em 70 a.C. Homem muito poderoso.

Pela ninfa,[3] que jaz vertida em louro,
o grande deus Apolo não delira?
Jove, mudado em touro
e já mudado em velha não suspira?
Seguir aos deuses nunca foi desdouro.
Graças, ó Nise bela,
graças à minha estrela!

Pretendam Anibais[4] honrar a História,
e cinjam com a mão, de sangue cheia,
os louros da vitória;
eu revolvo os teus dons na minha idéia:
só dons que vêm do céu são minha glória.[5]
Graças, ó Nise bela,
graças à minha estrela!

3. Divindades menores, jovens e graciosas, que povoam os campos, os bosques e as águas.

4. Chefe do exército cartaginês na Espanha, no século III a.C. Vitorioso em 216 a.C., numa das batalhas da 2.ª Guerra Púnica (nome usado pelos romanos que chamavam os cartagineses de *Poeni* ou fenícios), conquistou o sul da Itália. Considerado um gênio da estratégia militar.

5. A concepção de heroísmo nas poesias de T.A.G. é avessa "à violência e às chamadas virtudes guerreiras, tem como componentes fundamentais a virtude, a nobreza de alma, o cultivo das letras, a piedade e, sobretudo, o amor" (cf. Fernando Cristóvão, p. 90, citado na bibliografia).

É GENTIL, É PRENDADA A MINHA ALTÉIA *

É gentil, é prendada a minha Altéia; [1]
as graças, a modéstia de seu rosto
inspiram no meu peito maior gosto
que ver o próprio trigo quando ondeia.

Mas, vendo o lindo gesto de Dircéia, [2]
a nova sujeição me vejo exposto;
ah! que é mais engraçado, mais composto
que a pura esfera, de mil astros cheia!

Prender as duas com grilhões estreitos
é uma ação, ó deuses, inconstante, [3]
indigna de sinceros, nobres peitos.

Cupido, se tens dó de um triste amante,
ou forma de Lorino dous sujeitos, [4]
ou forma desses dous um só semblante.

* Soneto 15 na numeração de Lapa.

1. Nova pastora da galeria de Dirceu.
2. Outra pastora, a completar o cenário de conquistas do pastor enamorado.
3. Outra vez surge o tema da inconstância amorosa, só que, agora, do próprio pastor, dividido em seu simultâneo enamoramento por Altéia e Dircéia. Quanto à musa Altéia, encontramos na obra de Alvarenga Peixoto o soneto "Altéia".
4. É marcante a semelhança com o soneto "Estela e Nize" de Alvarenga Peixoto.

EM HONRA DA RAINHA

NÃO SÃO, LUSOS, NÃO SÃO AS FALSAS GLÓRIAS *

CONGRATULAÇÃO COM O POVO PORTUGUÊS NA FELIZ ACLAMAÇÃO DA MUITO ALTA E MUITO PODEROSA SOBERANA D. MARIA 1.ª, NOSSA SENHORA

Saepta armis solioque alte subnixa, resedit.
Jura dabat legesque viris. . .

Eneida, liv. I.

Não são, Lusos, não são as falsas glórias [1]
nascidas dos acasos das vitórias
que fazem os Impérios florescentes;
os sucessos de Marte, contingentes,
nos deixam igualmente destruídos
os povos vencedores e os vencidos;
as formosas campinas assoladas
por ferozes ginetes, semeadas
de corpos e medonhos instrumentos;
exaustos os tesouros opulentos,
desertas as aldeias e as cidades;
infames, atrevidas liberdades,

* Poema de numeração 4, em Lapa.

1. O mesmo conceito de heroísmo é veiculado na lira "Eu não sou, minha Nise, pegureiro". Sobre o assunto, consultar: Fernando Cristóvão (ver Bibliografia), p. 89-94.

estupros, roubos, opressões, delitos,
são certas conseqüências dos conflitos.[2]

Celebrem pois embora os vãos Romanos,
esquecidos enfim dos próprios danos,
a dura sujeição, o triste estrago
da ilustre Grécia, da infeliz Cartago.[3]
Vitórias e conquistas dilatadas,

2. Informa Rodrigues Lapa (ver bibliografia, p. 5): "Em 1777 dá-se a "viradeira". A aclamação de D. Maria punha ponto final à ditadura do Marquês, e os inimigos da obra pombalina estavam agora no galarim. Os antigos bajuladores do férreo ministro faziam gala em mostrar à soberana a sua fidelidade, por meio de uma aluvião de versos insulsíssimos que então se publicaram. O poemeto de Gonzaga ainda é das melhores coisas que se escreveram em honra da Rainha. Resta saber se a evolução política de Gonzaga foi sincera. Parece-nos que sim. O admirador de Grócio, Heinécio e Pufendórfio exaltara, é certo, a obra do cesarismo no *Direito Natural*; mas na leitura dos naturalistas bebera as idéias do enciclopedismo, em matéria de liberdade civil, e um realismo antimilitarista, que é das feições peculiares da sua obra e já se revela aqui com suficiente clareza. A sua vocação jurídica, que herdara do pai e do avô, opunha-o interiormente às violências e arbitrariedades cometidas contra o princípio do Direito. Essa oposição transparece no poemeto, na defesa que faz da magistratura perseguida durante a ditadura pombalina."

3. Cidade destruída pelos romanos em 146 a.C., durante a 3.ª Guerra Púnica.

em funestas campanhas alcançadas,
merecem, sim, ó Lusos, justo apreço,
mas são compradas por mui grande preço.

Um rei [4] sábio, um rei justo, um rei prudente,
que com mão desvelada e providente
a seus fiéis vassalos assegura
o sossego, as riquezas e a fartura;
que, sustendo o equilíbrio da balança,
que Astréia [5] lhe confia, reto alcança,
com prêmios e castigos regulados,
animar justos, enfrear culpados;
que o zelo da virtude lhes fomenta;
que os faustos e grandezas não sustenta
em suores e lágrimas sentidas;
que pesa quanto valem suas vidas —
é este o bem, ó Lusos, verdadeiro,
que venturoso faz um povo inteiro.
Por isso, quando os deuses rigorosos
querem punir delitos horrorosos,
aos duros povos, da piedade indinos,
dão tiranos e tiram Micerinos.

4. A relação com o poder, na visão do poeta, ainda se faz pela concepção de um reinado poderoso, em descompasso com as propostas liberalizantes vindas do Iluminismo francês e da revolução independentista norte-americana.

5. Deusa da Justiça, filha de Júpiter e Têmis.

Não celebremos [6] pois, ó Lusitanos,
alheios infortúnios, próprios danos
debaixo de aparências de ventura.
Nós temos uma dita mais segura:
uma heroína sábia, pia e justa
com régia c'roa cinge a frente augusta.
Veremos outra vez com mais verdade
no mundo florescer aquela idade,
que d'ouro apelidaram; nem teremos
— a ser ainda certo quando lemos —
invejas dos ditosos, breves anos,
em que viveram Titos e Trajanos. [7]

Eu não consulto, não, com falsos ritos,
nem os vôos das aves, nem os gritos;
não noto se os cordeiros imolados
expiram nos altares sossegados;
se têm o coração ileso e puro,
e as chamas ardem claras não procuro;
não indago também se o fumo leve,
sem ter estranho cheiro enfim se atreve

6. Ápice da louvação à Rainha de Portugal, apresentada como possuidora das virtudes (sabedoria, piedade e justiça) que tornam um soberano capaz de tornar um povo venturoso, conforme propõe esta ode, nos v. 23 a 36.

7. *Tito,* Imperador romano, no período de 79 a 81 d.C. *Trajano,* Imperador romano, no período de 98 a 117 d.C.

sereno encaminhar-se aos céus propícios:
mais nobres são, ó Lusos, meus auspícios.

Nós inda não tivemos um só Nero, [8]
um monstro desumano, injusto e fero,
que em sua própria corte (ação indina!)
dos Troianos visse a fatal ruína;
nem houve um só Mezêncio, que mandasse
que ao morto o vivo corpo se ligasse.
Se entre nós se guardasse aquele rito,
que longos anos se guardou no Egito,
dos mortos se julgarem, sem respeito
à régia dignidade do sujeito,
não, não terias, Portugal, a pena
de veres a funesta, indigna cena
de ser negada por sentença dura
às cinzas de um monarca sepultura.

Os reis que sempre em Lísia governaram,
como pais dos seus povos se portaram.
Aquele forte impulso, que mil vezes
pôde mover os peitos portugueses
a verter tanto sangue em justo abono
do augusto cetro, do sublime trono,
foi, Lusos, um efeito puro e recto
do nosso filial, ardente afecto.
As águias geram águias generosas,
não feras nem serpentes horrorosas.

8. *Nero*, Imperador romano, no período de 57 a 68 d C.

Não será, Lusos, não, a vez primeira,
— se a história nós julgarmos verdadeira —
que venere o mundo com maior respeito
virtude heróica no femíneo peito:
tu, Erifile, de valor armada,
cingiste, qual varão, cortante espada!
Tu, Débora, também com mão potente
fizeste a glória da escolhida gente!
Outra Maria honrou a nossa idade:
mais prova não carece tal verdade.

Nem firmo as esperanças tão-somente
em ser de tais monarcas descendente;
desta clara heroína os próprios feitos
são, Lusos, argumentos mais perfeitos.
Eu vejo que, movida da clemência,
tomando o justo amparo da inocência,
com suas mãos formosas, mas potentes,
desfez masmorras e quebrou correntes.
Eu vejo que, atendendo aos justos brados
de ilustres, abatidos magistrados,
outra vez os levanta à honra antiga,
da qual os despojou a infame intriga.
Eu vejo que, depois de perdoados
infames crimes, torpes atentados,
nem quer deixar dos réus a fama lesa.
Oh! quanto, Lusos, a virtude preza!
Eu vejo que, exercendo com prudência
à maneira dos deuses a clemência,

sem ludíbrio contudo da Justiça,
aterra o monstro infame da cobiça.
Ah! tais feitos não são, não são auspícios:
são mais certezas do que são indícios.

Esses famosos reis, cuja memória
cobrindo os homens de uma justa glória
inda hoje faz correr saudoso pranto,
em breves dias não fizeram tanto.

Mas ah! que muito, ó Lusos venturosos,
vejamos tantos feitos gloriosos!
Virtudes santas do alto céu baixaram
no berço, que de rosas lhe adornaram:
umas os ternos membros que cobriram,
as outras desveladas a nutriram,
recebendo-a nos braços seus, perfeitos,
a puro leite de seus castos peitos.

De tão sublime, tão geral ventura
outra infalível prova nos segura
aquela mais que todas feliz sorte
de ter esta heroína um tal consorte.
Os deuses, que adorná-la procuraram,
já para seu esposo lhe criaram
este príncipe ilustre, esta alma bela,
em tudo, Lusos, semelhante à dela.
Aqueles mesmos deuses que o formaram,

de o verem tão perfeito se pasmaram.
Oh! Príncipe feliz, Monarca egrégio,
que tendo, como tem, o sangue régio
nos olhos dos mortais tão grande apreço,
é o bem que inda tens de menos preço!
Esposo de tais dotes adornado,
que só põe na virtude o seu cuidado,
ou falam contra nós princípios certos,
ou não pode influir senão acertos.

A serem os Impérios alcançados
por sólidas virtudes, não herdados,
vós, monarcas em tudo gloriosos,
seríeis na verdade os mais ditosos.
Não governaríeis só a lusa gente,
fechada num tão breve continente:
a ser pesado mando, a vós jucundo,
teríeis por Império o vasto mundo.
Longe, longe, ó Lusos, do meu peito
do vício da lisonja o vil defeito!
Longe, longe de mim! A Majestade,
não se honra do ludíbrio da verdade.

À vista destes fatos que proponho,
não é sem fundamento que suponho
que em tudo feliz seja um tal reinado,
apesar, Lusos, apesar do Fado.
Desde hoje as nossas frotas e as armadas,
cortando as crespas ondas afastadas,

cobrirão longas praias com os frutos,
tirados por comércios e tributos.
Os nossos justiceiros magistrados,
movidos por exemplos tão sagrados,
já sem perigo, sem temor, sem susto,
não hão de consentir que braço injusto
estrague o equilíbrio do Direito [9]
com falso, aéreo peso do respeito.
Os nossos militares, sempre ousados,
da honra e da virtude estimulados,
vivas torres serão, serão muralhas,
ainda sem vestirem grossas malhas,
batidas, já não digo por Vulcano,
mas nem por forte mão de destro humano.
De tudo quanto espero, nada é novo:
quando o monarca é bom, é bom seu povo.

Ergamos pois, ó Lusos venturosos,
aos deuses mil altares respeitosos,
os quais banhemos repetidas vezes
com quente sangue de enfeitadas reses.
Ao céu benigno ingrato não sejamos;
e bem que o vil humano nunca possa
dar-lhe digno louvor, sequer façamos
o pouco que permite a esfera nossa.

9. Conforme Rodrigues Lapa, esta seria uma alusão às coações sofridas pelos magistrados portugueses durante o período da gestão pombalina.

GONZAGA, Tomás Antônio.* *Marília de Dirceu* (Parte I). Lisboa, Nunesiana, 1792.

——. *Marília de Dirceu* (Partes I e II). Lisboa, Nunesiana, 1799.

——. *Marília de Dirceu* (Partes I e II). Lisboa, Nunesiana, 1802.

——. *Marília de Dirceu* (Partes I e II). Lisboa, Nunesiana, 1811.

——. *Marília de Dirceu* (Partes I, II e III). Lisboa, Impressão Régia, 1812.

——. *Marília de Dirceu.* Org. Joaquim Norberto de Sousa e Silva. Rio de Janeiro, Garnier, 1862.

——. *Marília de Dirceu.* Org. José Veríssimo. Rio de Janeiro, Garnier, 1908.

——. *Marília de Dirceu.* Org. Alberto Faria. Rio de Janeiro, Anuário do Brasil, 1922.

——. *Marília de Dirceu e mais poesias.* Edit. por Manuel Rodrigues Lapa. Lisboa, Sá da Costa, 1937.

——. *Cartas Chilenas.* Edit. por Afonso Arinos de Melo Franco. Rio de Janeiro, Ministério da Educação e Saúde, 1940.

* Em virtude da situação problemática que envolve as edições da obra de Gonzaga, bem como sua divisão em partes, e pelo caráter didático desta antologia, que não comporta o exame extenso da questão, recomendamos ao leitor interessado em aprofundar o tema a leitura do que observam a respeito Wilson Martins e Alexandre Eulálio, nas obras citadas na Bibliografia sobre o Autor.

——. *Obras Completas.* Edit. por Manuel Rodrigues Lapa. São Paulo, Companhia Editora Nacional, 1942.
——. *Marília de Dirceu.* Edit. por Afonso Arinos de Melo Franco. São Paulo, Martins, 1944.
——. *Poesias. Cartas Chilenas.* Ed. crítica de Manuel Rodrigues Lapa. Rio de Janeiro, MEC/INL, 1957 (Obras completas de T.A.G., I).
——. *Tratado de Direito Natural*; carta sobre a usura, minutas, correspondência, documentos. Ed. crítica de Manuel Rodrigues Lapa. Rio de Janeiro, MEC/INL, 1957 (Obras completas de T.A.G., II).
——. *Marília de Dirceu.* Intr. de Manuel Cavalcanti Proença. Rio de Janeiro. Tecnoprint, 1967 (Ed. de Ouro).
——. *Os melhores poemas de Tomás Antônio Gonzaga.* Sel. de Alexandre Eulálio. São Paulo, Global, 1983.

Traduções:

GONZAGA, Tomás Antônio. *Marilie,* chants élégiaques de Gonzaga. Trad. Eugène de Monglave e Paul Chalas. Paris, Panckoucke, 1825. (Versão em prosa literária.)
——. *Marilia de Dirceo:* lire di Tommaso Antonio Gonzaga, brasiliano. Trad. Giovenale Vegezzi Ruscalla. Torino, 1844.
——. Della lirica "Marilia". Trad. Giuseppe Ungaretti. *In: Il deserto e dopo.* Milano, 1861, p. 426-7.
——. *Amaryllidos Dircaei.* Trad. Castro Lopes. (Trad. Latina para uso nas escolas do Império, 1868-1887.)

Bibliografia sobre o Autor

AMORA, Antônio Soares. Tomás Antônio Gonzaga. *In:* ——. *Panorama da poesia brasileira*; era luso-brasileira. Rio de Janeiro, Civilização Brasileira, 1959, p. 98-123, vol. I.

ÁVILA, Afonso. A natureza e o motivo edênico na poesia colonial. *In:* ——. *O poeta e a consciência crítica.* Petrópolis, Vozes, 1969, p. 27-35.

BOSI, Alfredo. Árcades ilustrados. *In:* ——. *História concisa da literatura brasileira.* São Paulo, Cultrix, 1978, p. 78-84.

CÂNDIDO, Antônio. Letras e idéias no período colonial. *In:* ——. *Literatura e sociedade:* estudos de teoria e história literária. São Paulo, Nacional, 1965, p. 105-128.

——. Naturalidade e individualismo de Gonzaga. *In:* ——. *Formação da literatura brasileira*; momentos decisivos. 5.ª ed. Belo Horizonte, Itatiaia; São Paulo, Edusp, 1975, p. 114-126.

CASTELO, José Aderaldo. A Época arcádica. *In:* ——. *A literatura brasileira*; manifestações literárias da era colonial. 2.ª ed. rev. e com. São Paulo, Cultrix, 1965, p. 131-188.

CRISTÓVÃO, Fernando. *Marília de Dirceu de Tomás Antônio Gonzaga*: ou a poesia como imitação e pintura. Lisboa, Imprensa Nacional, 1981.

DUTRA, Waltensir. Tomás Antônio Gonzaga. *In:* COUTINHO, Afrânio, edit. *A literatura no Brasil.* Rio de Janeiro, Sul Americana, 1956, p. 470-80, vol. I, t. I.

EULÁLIO, Alexandre. Verso e reverso de Gonzaga; vida; obra. *In*: GONZAGA, Tomás Antônio. *Os melhores poemas de Tomás Antônio Gonzaga.* São Paulo, Global, 1983, p. 7-23 233-41.

FRANCO, Afonso Arinos de Melo. Introdução. *In:* GONZAGA, Tomás Antônio. *Marília de Dirceu.* São Paulo, Martins, 1944, p. VII-XII.

FRIEIRO, Eduardo. *Como era Gonzaga?* Belo Horizonte, Secretaria de Minas Gerais, 1950.

GARRETT, Almeida. *Obras.* Porto, Lello & Irmãos, 1963, p. 503-4, vol. I.

GOMES, Eugênio. Tomás Antônio Gonzaga e o tempo. *In:* ——. *Visões e revisões.* Rio de Janeiro, MEC/INL, 1958, p. 46-53.

HELENA, Lúcia. Gonzaga e a Inconfidência. *In: Convivência,* 6:58-66. *Revista do PEN Clube do Brasil.* Rio de Janeiro, dez. 1982.

LAPA, Manuel Rodrigues. Prefácio. *In:* GONZAGA, Tomás Antônio. *Poesias. Cartas Chilenas.* Rio de Janeiro, MEC/INL, 1957, p. IX-XL. (Obras completas de Tomás Antônio Gonzaga, vol. I.)

LUCAS, Fábio. Tomás Antônio Gonzaga, glória entre equívocos. *In:* ——. *Poesia e prosa no Brasil.* Belo Horizonte, Interlivros, 1976, p. 33-48.

LYRA, Pedro. Entre o amor e o poder: Tomás Antônio Gonzaga e o (seu) drama da Inconfidência. *In: Revista de Cultura Vozes, 2*:27-34. Petrópolis, Vozes, ano 73, vol. LXXIII, mai, 1979.

MACHADO, Lourival Gomes. *Tomás Antônio Gonzaga e o direito natural.* São Paulo, Martins/Edusp, 1968.

MARTINS, Wilson. Eu, Marília... *In:* ——. *História da inteligência brasileira.* São Paulo, Cultrix/Edusp, 1976, p. 537-554, vol. I.

MAXWELL, Kenneth. A farsa. *In:* ——. *A devassa da devassa.* Rio de Janeiro, Paz e Terra, 1977, p. 168-204.

PICCHIO, Luciana Stegagno. Gonzaga. *In:* ——. *La letteratura brasiliana.* Firenze, Sansoni; Milano, Accademia, 1972, p. 114-122.

PINHEIRO, Cônego Fernandes. *Curso de literatura nacional.* 3.ª ed. Rio de Janeiro, Cátedra/INL, 1978, p. 304-5.

RAMOS, Péricles Eugênio da Silva. *Os mais belos versos da "Escola Mineira".* São Paulo, Melhoramentos, 1964.

ROMERO, Sílvio. Tomás Antônio Gonzaga. *In:* ——. *História da literatura brasileira.* 4.ª ed. Rio de Janeiro, José Olympio, 1949, p. 127-136, t. 2.

SILVA, Domingos Carvalho da. *Gonzaga e outros poetas.* Rio de Janeiro, Orfeu, 1970.

Julgamento crítico

Do CÔNEGO FERNANDES PINHEIRO:

"Quem poderá disputar a Gonzaga o primeiro lugar nessa espécie de poesia lírica que os críticos assentaram em classificar de erótica, ou de anacreôntica? — O próprio Diniz a quem Garrett dá a preferência, fica-lhe muito inferior em delicadeza de sentimentos e melodia de linguagem. — Discípulo de Petrarca, imitador de Camões, esmera-se em colorir seus quadros, e com o pincel do Urbino desenhar-nos primorosas cenas do mais puro e ardente amor."

De ALMEIDA GARRETT:

"... em geral a *Marília de Dirceu* é um dos livros a quem o público fez imediata e boa justiça. Se houvesse por minha parte de lhe fazer alguma censura, só me queixaria, não do que fez, mas do que deixou de fazer. Explico-me: quisera eu que em vez de nos debuxar no Brasil cenas da Arcádia, quadros inteiramente europeus, pintasse os seus painéis com as cores do país onde os situou. Oh! e quanto perdeu a poesia nesse fatal erro! se essa amável e ingênua Marília fosse, como a Virgínia de Saint-Pierre, sentar-se à sombra das palmeiras, e enquanto lhe revoavam em torno o cardeal soberbo com a púrpura dos reis, o sabiá terno e melodioso, — que saltasse pelos montes espessos a cotia fugaz como a lebre da Europa, ou grave passeasse pela orla da ribeira o tatu esquarroso, — ela se entretivesse em tecer para o seu amigo e cantor uma grinalda não de rosas, não de jasmins, porém dos roxos martírios, das alvas flores dos vermelhos bagos do lustroso cafezeiro; que pintura, se a desenhara com sua natural graça o ingênuo pincel de Gonzaga!"

De RODRIGUES LAPA:

"A obra de Gonzaga, no que ela tem de mais profundo e certamente mais duradouro, é a viva concretização deste ideal familiar e burguês para que tendiam os espíritos e sobretudo os espíritos ingleses do século XVIII."

De JOSÉ ADERALDO CASTELO:

"... é possível a organização de uma edição das *Liras* de tal forma que se documente a evolução do sentimento e das intenções de Gonzaga em relação a Marília, desde a descoberta e conseqüente revelação da mulher escolhida, a sua conquista galante, a fase dos ciúmes, até a consolidação daquele sentimento e intenção sob a perspectiva e os planos de vida matrimonial. O sonho assim arquitetado é bruscamente desfeito, quando o poeta é preso como inconfidente, surgindo daí as liras que contrastam com aquelas anteriores à prisão, desesperançadas, cheias de abatimento e solidão, ao mesmo tempo que refletindo a preocupação da autodefesa contra as acusações feitas ao poeta conspirador."

De ANTÔNIO CÂNDIDO:

"Enquanto tem posição e liberdade, Gonzaga se aplica principalmente a celebrar Dorotéia, envolvendo-a cada vez mais nas vestes pastorais de Marília. São, de modo geral, as odezinhas anacreônticas ou não, da I Parte, onde predomina o amaneiramento rococó. Já aí, porém, em seis liras dentre as melhores que escreveu, aparece o timbre novo e inconfundível de sua mesurada confidência, vazada em metros mais longos que contrastam com os metros curtos, o ritmo saltitante da maioria dos poemas de louvação amorosa. E hoje, se dermos um balanço nesta Parte, reconheceremos certamente em tais liras a melhor e a mais pura matriz gonzaguiana: "Eu, Marília, não sou algum vaqueiro"; "Oh! quanto pode em nós a vária estrela"; "Eu sou, gentil Marília, eu sou cativo"; "Minha bela Marília, tudo passa"; "Não vês aquele velho respeitável"; "Alexandre, Marília, qual o rio".

Nelas percebemos uma circunstância significativa, que avulta, até dominar nas liras da II Parte (fase da prisão) e esclarece o âmago da poesia de Gonzaga: na maioria dos poemas de envergadura, em que o espírito e o coração alçam vôo largo, Marília, não obstante invocada a toda hora, aparece, quando muito, como pretexto, ou pelo menos ocasião dos versos. Nesta II Parte, são 21 sobre 36 as peças em que ele próprio é o centro, enquanto as de puro enleio amoroso orçam por 10."

De LUCIANA STEGAGNO PICCHIO:

"Quando conhece Maria Dorotéia (Marília), jovem de dezessete anos, Gonzaga-Dirceu tem quarenta. Mas mesmo que ele já houvesse composto poesias para Ormias, Nises ou Lidoras, o itinerário em direção a Marília é o itinerário em direção a Gonzaga. Porque em torno deste amor da maturidade transfiguram-se e unificam-se todas as experiências precedentes, até a recuperação e reescritura, no novo nome, das velhas rimas."

De FÁBIO LUCAS:

"A própria retórica de *Marília de Dirceu* deixa entrever a dualidade entre a expressão literária afluente da tradição ou da *aurea mediocritas*, e a que, fugindo aos cânones arcádicos, promove uma abertura para o realismo descritivo e para as modulações dos sentimentos íntimos. A primeira deixa entrever o lado monocórdio dos jogos simétricos, do fabulário ingênuo e da falsidade cortês; a segunda corresponde, em muito, aos ideais da concepção romântica, à descrição dos estados de alma, ao individualismo, à projeção dramática do "eu" oposto à máquina do mundo, à exaltação do objeto amado e à reivindicação da justiça entre os homens."

De WILSON MARTINS:

"(Gonzaga) sobreviveria apenas como poeta lírico — compondo a maior parte da sua lírica amorosa no momento mais dramático da aventura revolucionária. O fato é mais do que simbólico e revela uma daquelas realidades profundas que em geral passam despercebidas às análises convencionais. A beleza poética incontestável da sua obra (aliada, é preciso dizê-lo, a uma não menos incontestável monotonia) contrasta singularmente com alguns aspectos bem menos admiráveis da sua vida."

De FERNANDO CRISTÓVÃO:

"O herói Dirceu-Gonzaga ressente-se de demasiadas contradições, e apenas anuncia o futuro. Coexistem e operam nele os dois modelos antagônicos que provocaram a "crise de consciência" do século XVIII: o do *honnête homme* e o do herói romântico. O primeiro domina-lhe a razão e regula a sua vida social ditando-lhe o dever, a ordem, o respeito às hierarquias, a contensão. O segundo comanda-lhe os sentimentos, dirige a sua vida pessoal insinuando-lhe uma filosofia de valores que visa, em última instância, uma outra troca fundamental, a da prioridade dos direitos sobre a dos deveres."

De PEDRO LYRA:

"... o que resulta claro de uma leitura crítica desta lira ("Eu vejo aquela deusa") é que a preocupação maior de Gonzaga, depois de preso, não era o destino do movimento do qual sem dúvida nenhuma participara e do qual seria o líder caso triunfasse, mas a sua absolvição para realizar o casamento. E toda a motivação social de sua poesia cede diante de uma motivação toda pessoal — na verdade o mais pessoal de todos os comportamentos humanos. Mal sabia ele que a família afastara Marília de qualquer contato com a Inconfidência. E, recusando-se a acompanhá-lo ao desterro, ela matou o seu poeta."

De ALEXANDRE EULÁLIO:

"Ao lado da rápida sucessão de "cenas" fugidiamente figuradas pelo poeta, constitui um dos maiores atrativos da *Ma-*

rília de Dirceu a variedade métrica, rítmica e estrófica das Liras que a compõem. Gonzaga parece ter cuidado de modo muito especial essa tática, que da parte dele documenta seguro virtuosismo e desenvolvida consciência de artífice. Leitor atento dos clássicos gregos e latinos, dos mestres europeus consagrados pela Renascença e pelo Barroco, não se esquece dos contemporâneos imediatos dele; a uns e outros alude quando não os glosa ou deliberadamente cita nas Liras. Entre os últimos — Pedro Garção, Xavier de Matos, Basílio da Gama e Cláudio Manuel da Costa — recolhe e desenvolve sugestões, num animado contraponto intertextual."

(Fontes na Bibliografia.)

Questionário

1. Quais as principais coordenadas histórico-políticas do século em que Tomás Antônio Gonzaga produziu sua obra?
2. Em que medida o estilo desta obra poética se relaciona com as "artes poéticas" de seu tempo?
3. Comparado à visão clássica dominante, o poeta Gonzaga, em alguns momentos, a ultrapassa. Escolha uma lira que comprove a afirmativa, e retire características que o revelem, no próprio texto literário.
4. Seria adequado afirmar que a obra de T.A.G. é um mero depoimento de sua própria vida amorosa? Por quê?
5. Que distinções de estilo você estabelece entre as liras: "Pintam, Marília, os poetas" e "Já não cinjo de loiro a minha testa"?
6. Compare as liras: "Eu não sou, minha Nise, pegureiro", "Eu, Marília, não sou algum vaqueiro" e "Eu, Marília, não fui nenhum vaqueiro". Estabeleça as diferenças e correlações de estilo e de tema.
7. Qual o conceito de "heroísmo" expresso nas poesias de T.A.G.? Exemplifique.
8. Tomando por base a lira "Não vês aquele velho respeitável", qual a concepção de *tempo* para o

poeta? E qual a relação com as diretrizes da arte poética da época?

9. Que interpretações podem ser dadas para o fato de que T.A.G. ora apresenta-nos a pastora Marília como morena, ora como loura?
10. Qual a relação entre o *princípio da imitação da natureza* e as liras "Enquanto pasta, alegre, o manso gado" e "Tu não verás, Marília, cem cativos"?
11. A poética do século XVIII preconizava uma função social para a literatura. Como se comportam as liras, encômios e sonetos do poeta em relação a esta proposta? Exemplifique.
12. Dentre os julgamentos críticos selecionados para esta antologia, qual ou quais lhe pareceram mais esclarecedores? Por quê?

Índice

COLEÇÃO "NOSSOS CLÁSSICOS"

"O essencial para o conhecimento biográfico, histórico e crítico de um escritor, aí se encontra." (Adonias Filho).

1 FERNANDO PESSOA — Adolfo Casais Monteiro.
2 OLAVO BILAC — Alceu Amoroso Lima.
3 TAVARES BASTOS — Raul Lima.
4 CRUZ E SOUSA — Tasso da Silveira.
5 SIMÕES LOPES NETO — Moysés Vellinho.
6 ANTERO DE QUENTAL — Adolfo Casais Monteiro.
7 ÁLVARO DE AZEVEDO — Maria José da Trindade Negrão.
8 RAUL POMPÉIA — Temístocles Linhares.
9 EÇA DE QUEIRÓS — João Gaspar Simões.
10 CAMILO — Paulo de Castro.
11 VIEIRA — Sermões — Eugênio Gomes.
12 FAGUNDES VARELA — Edgard Cavalheiro.
13 SANTA RITA DURÃO — Hernâni Cidade.
14 CAMÕES — Aires da Mata Machado Filho.
15 COELHO NETO — Octavio de Faria.
16 CALDAS BARBOSA — Luís da Câmara Cascudo.
17 CESÁRIO VERDE — Martinho Nobre de Melo.
18 GONÇALVES DIAS — Manuel Bandeira.
19 ALPHONSUS DE GUIMARAENS — Gladstone Chaves de Melo.
20 RAIMUNDO CORREIA — Ledo Ivo.
21 JOSÉ VERÍSSIMO — Olívio Montenegro.
22 MÁRIO DE SÁ-CARNEIRO — Cleonice Berardinelli.
23 CASIMIRO DE ABREU — Souza da Silveira.
24 SILVA ALVARENGA — Antônio Houaiss.
25 JACKSON DE FIGUEIREDO — José Rafael de Menezes.
26 JORGE DE LIMA — Luís Santa Cruz.
27 GRAÇA ARANHA — Renato Almeida.
28 JOAQUIM NABUCO — Carolina Nabuco.
29 MÁRIO PEDERNEIRAS — Rodrigo Octavio Filho.
30 JOSÉ ALBANO — Braga Montenegro.
31 LOPES GAMA — Luís Delgado.
32 ALBERTO DE OLIVEIRA — Geir Campos.
33 HUGO DE CARVALHO RAMOS — Afonso Félix de Sousa.

34 JUVENAL GALENO — João Clímaco Bezerra.

35 SILVIO ROMERO — Nelson Romero.

36 JOSÉ DE ANCHIETA — Eduardo Portella.

37 MACHADO DE ASSIS — Romance — Gustavo Corção.

38 MACHADO DE ASSIS — Crítica — José Aderaldo Castello.

39 EDUARDO PRADO — Mário Casasanta.

40 MARTINS FONTES — Cassiano Ricardo.

41 ANTÔNIO NOBRE — Luís da Câmara Cascudo.

42 CORNÉLIO PENA — Adonias Filho.

43 EMILIANO PERNETA — Andrade Muricy.

44 CASTRO ALVES — Eugênio Gomes.

45 RONALD DE CARVALHO — Peregrino Júnior.

46 AUGUSTO DOS ANJOS — Antônio Houaiss.

47 LIMA BARRETO — Francisco de Assis Barbosa.

48 MACHADO DE ASSIS — Teatro — Joel Pontes.

49 JOÃO RIBEIRO — Múcio Leão.

50 MÁRIO DE ANDRADE — Ficção — M. Cavalcanti Proença.

51 SAMPAIO BRUNO — Joel Serrão.

52 ADOLFO CAMINHA — Lúcia Miguel Pereira

53 GRACILIANO RAMOS — Antônio Cândido.

54 EUCLIDES DA CUNHA — João Etienne Filho.

55 GONÇALVES DE MAGALHÃES — José Aderaldo Castello.

56 MARTINS PENA — Amália Costa.

57 ANTÔNIO DE ALCÂNTARA MACHADO — Francisco de Assis Barbosa.

58 RAUL DE LEÔNI — Luís Santa Cruz.

59 JÚLIO DINIS — Naief Sáfady.

60 MÁRIO DE ANDRADE — Poesia — Dantas Motta.

61 DOMINGOS OLÍMPIO — Herman Lima.

62 MATIAS AIRES — Adriano da Gama Kury.

63 B. LOPES — Andrade Muricy.

64 MARIANA ALCOFORADO — Maria da Graça Freire.

65 MONTEIRO LOBATO — José Carlos Barbosa Moreira.

66 JUNQUEIRA FREIRE — Antônio Carlos Villaça.

67 RUI BARBOSA — Gladstone Chaves de Melo.

68 ALUÍSIO AZEVEDO — Josué Montello.
69 MACHADO DE ASSIS — Crônicas — Eugênio Gomes.
70 MACHADO DE ASSIS — Contos — Eugênio Gomes.
71 AFRÂNIO PEIXOTO — Luís Viana Filho.
72 INGLÊS DE SOUSA — Bella Josef.
73 CARLOS DE LAET — Pe. Francisco Leme Lopes S. J.
74 NESTOR VITOR — Tasso da Silveira.
75 CAMILO PESSANHA — Bernardo Vidigal.
76 ALEXANDRE HERCULANO, O Historiador — Maria Beatriz Nizza da Silva.
77 BASÍLIO DA GAMA — Mário Camarinha da Silva.
78 JOSÉ BONIFÁCIO, O VELHO — José Aderaldo Castello.
79 HUMBERTO DE CAMPOS — João Clímaco Bezerra.
80 TEIXEIRA DE PASCOAES — Jorge de Sena.
81 VICENTE DE CARVALHO — Fausto Cunha.
82 MACHADO DE ASSIS — Poesia — Péricles Eugênio da Silva Ramos.
83 JOSÉ DE ALENCAR — Romances Urbanos — Oscar Mendes.
84 JOSÉ LINS DO REGO — Peregrino Júnior.
85 SOUSANDRADE — Haroldo e Augusto de Campos.
86 CAMILO CASTELO BRANCO — Escritos Diversos — Alexandre Cabral.
87 PERO VAZ DE CAMINHA — A Carta — Estudo crítico de J. F. de Almeida Prado. Glossário e notas por Maria Beatriz Nizza da Silva.
88 MANUEL ANTÔNIO DE ALMEIDA — Maria José da Trindade Negrão.
89 FERNÃO LOPES — Adolfo Casais Monteiro.
90 JOÃO DE DEUS — Cleonice Berardinelli.
91 OSWALD DE ANDRADE — Haroldo e Augusto de Campos.
92 FARIAS BRITO — Benedito Nunes.
93 GONÇALVES CRESPO — Rolando Morel Pinto.
94 JOÃO FRANCISCO LISBOA — João Alexandre Barbosa.
95 JOSÉ DE ALENCAR — Romances Indianistas — Oscar Mendes.
96 RAMALHO ORTIGÃO — Nelly Novaes Coelho.

97 OLEGÁRIO MARIANO — Herman Lima.

98 OLIVEIRA MARTINS — Maria Beatriz Nizza da Silva.

99 CAVALEIRO DE OLIVEIRA — Vítor Ramos.

100 MANUEL BANDEIRA — Alceu Amoroso Lima.

101 JOAQUIM MANUEL DE MACEDO — Bella Josef.

102 JOÃO ALPHONSUS — João Etienne Filho.

103 VIEIRA — Trechos escolhidos — Eugênio Gomes.

104 AFONSO ARINOS — Herman Lima.

105 GIL VICENTE — Cleonice Berardinelli.

106 CAMÕES — Lírico — Aires da Mata Machado Filho.

107 CECÍLIA MEIRELES — Darcy Damasceno.

108 MANUEL BANDEIRA — Prosa — Antonio Carlos Villaça.

109 VINÍCIUS DE MORAES — Poesia — Pedro Lyra.

110 CLÁUDIO MANUEL DA COSTA — Sonia Salomão Khéde.

111 MURILO MENDES — Poesia — Maria Lúcia Aragão.

112 ALCEU AMOROSO LIMA — Antonio Carlos Villaça.

113 GREGÓRIO DE MATOS — Sátira — Ângela Maria Dias.

114 TOMÁS ANTÔNIO GONZAGA — Lúcia Helena.

Capa e projeto gráfico:
João de Souza Leite

Ilustração da capa:
Ronaldo Kuwer

Revisão:
Henrique de Souza Junior

Editorial:
Isis Valéria Gomes

Produção:
Osmar Gomes da Motta

Composição:
Gabarito Arte & Texto S/C Ltda., São Paulo, SP

Impressão:
Artes Gráficas Guaru S/A., São Paulo, SP

AGIR — primeiro trimestre de 1985

Exemplar

2416